Univers des Lettres Bordas

Sous la direction de Fernand Angué
André Lagarde, Laurent Michard

VOLTAIRE

ZADIG
MEMNON

Edition intégrale
avec une chronologie, une étude générale des contes
de Voltaire, des notices particulières,
une analyse méthodique des textes, des notes
et des thèmes de réflexion

par

Jacques SPICA

Agrégé des Lettres
Maître-assistant à l'Université III de Grenoble

Bordas

REPÈRES CHRONOLOGIQUES
(1694-1754)

1694 Le 21 novembre, naissance à Paris de François-Marie Arouet, fils de François, notaire royal au Châtelet, et de Marguerite Daumart. Originaires de Saint-Jouin-des-Marnes, près d'Airvault, en Poitou, les Arouet sont Parisiens depuis trois générations.

1701 A sept ans, François-Marie perd sa mère.

1704-1711 Au collège Louis-le-Grand où il se montre un élève très brillant. Il se lie d'amitié avec le duc de Richelieu, le comte d'Argental, les frères d'Argenson. Sans être un modèle de piété, il reste réceptif à l'enseignement doctrinal des Jésuites, et gardera un affectueux souvenir de ses maîtres. Mais il subit parallèlement l'influence des milieux libertins dans lesquels, à partir de 1706, l'introduit son parrain, l'abbé de Châteauneuf. A la sortie du collège, il entreprend des études de droit.

1712 La vocation poétique de Voltaire, pourtant contrariée par son père, s'affirme. Il concourt pour le prix de poésie offert par l'Académie française, en écrivant une *Ode à la Vierge* (sujet imposé), mais échoue. Il travaille à une tragédie, *Œdipe*, persuadé qu'il fera mieux que Corneille.

1713 Secrétaire d'ambassade à La Haye, il s'éprend de « Pimpette » (Olympe Dunoyer) : idylle sincère, malgré ses aspects romanesques.

1714-1715 Voltaire reprend ses études de droit à Paris. Clerc de notaire chez Me Alain, il fait la connaissance de Thiériot. Il termine *Œdipe* et s'éprend de la comédienne Duclos, que lui ravit le comte d'Uzès.

1716 Le 5 mai, exil à Tulle, pour avoir écrit un pamphlet contre le Régent; mais cet exil est commué en un séjour forcé (et agréable) au château de Sully-sur-Loire, où Voltaire s'éprend de Mlle de Livry.

1717-1719 Retour à Paris. On lui attribue à tort le *J'ai vu...*, et, à raison, le *Puero regnante*, pamphlets qui déplurent au Régent. Emprisonné à la Bastille du 17 mai 1717 au 11 avril 1718, il travaille à *la Henriade*. 18 novembre 1718, première triomphale d'*Œdipe*. En 1719 il prend le nom de Voltaire, anagramme d'AROVET L(e) I(eune) (ou peut-être inversion de *d'Airvault*, berceau de sa famille). De nouveau suspect à la Cour, il quitte Paris et séjourne dans différents châteaux.

1720-1721 *Artémire* (tragédie). Diverses spéculations financières conseillées par les banquiers Pâris. La faillite de Law permet à Voltaire de décupler son capital.

1722   Janvier : mort du père de Voltaire. Juillet-octobre : voyage en Belgique avec Mme de Rupelmonde. Brouille avec Jean-Baptiste Rousseau.

1723   Voltaire fait imprimer *la Henriade* à Rouen. Liaison avec Mme de Bernières. Composition de *Marianne*. Très gravement malade en novembre, il a failli mourir.

1724   Il accompagne le duc de Richelieu aux eaux de Forges : sa santé se détériore (toute sa vie Voltaire souffrira de douleurs intestinales). Rédaction de *l'Indiscret* (comédie).

1725   Voltaire est déjà un auteur célèbre et reçu à la Cour. Pensions royales, héritage paternel et capital personnel lui assurent une rente annuelle de près de 8 000 livres. En décembre : incident avec le duc de Rohan dans la loge de Mlle Lecouvreur. Trois jours plus tard, le duc fait bâtonner Voltaire.

1726   Lâché par ses amis en cette occasion, Voltaire cherche une réparation par les armes. Mais les Rohan obtiennent contre lui une lettre de cachet. Nouveau séjour à la Bastille (17 avril 1726), commué en exil. Le 1er mai Voltaire part pour Londres. Son banquier londonien ayant fait faillite, Voltaire perd 10 000 livres, dès son arrivée en Angleterre.

1727-1728 Nouvelle édition de *la Henriade*, dédiée à la reine d'Angleterre. Voltaire fréquente les milieux politiques et littéraires de Londres. Il travaille à l'*Histoire de Charles XII*, à l'*Essai sur la poésie épique*, à *Brutus* (tragédie). Il recueille de précieuses notes sur l'Angleterre, en vue des *Lettres philosophiques*. Il regagne la France à la fin de 1728.

1729   Autorisé à rentrer à Paris en avril, il spécule sur la Loterie et gagne 500 000 livres. En mai, séjour en Lorraine : autres spéculations financières.

1730   Mars : le corps de Mlle Lecouvreur est jeté à la voirie. Décembre : première de *Brutus*.

1731   L'*Histoire de Charles XII* (édition clandestine) est interdite.

1732   Échec d'*Ériphyle* (tragédie). Mai : première allusion au *Siècle de Louis XIV*. 13 août : première de *Zaïre*, le plus grand succès théâtral de l'époque. Voltaire fréquente une nouvelle fois la Cour. Il étudie l'œuvre de Newton, sous la direction de Maupertuis. Mais, après la publication de l'*Épître à Uranie* (composée dix ans plus tôt), Voltaire risque une nouvelle lettre de cachet.

1733   Mars : publication du *Temple du Goût*. Juin : début de la liaison

avec Mme du Châtelet. Juin-juillet : il rédige la 25e lettre philosophique sur les *Pensées* de Pascal (une traduction anglaise des
Lettres philosophiques est en cours d'impression à Londres
depuis le début de l'année).

1734   Les banquiers Pâris intéressent Voltaire aux fournitures de
vivres aux armées : il gagne 600 000 livres! Juin : condamnation
des *Lettres philosophiques* au pilori et au feu. Lettre de cachet
contre Voltaire qui s'exile en Lorraine, puis se fixe à Cirey chez
Mme du Châtelet. Il rédige le *Traité de métaphysique*, qui ne sera
jamais publié de son vivant, et quelques chants de *la Pucelle*.

1735   Mars : Voltaire est autorisé à rentrer à Paris mais on découvre
des copies de *la Pucelle*, et Voltaire regagne prudemment Cirey.
Querelle avec Desfontaines.

1736   Janvier : première d'*Alzire*. Mars-juillet : procès contre le
libraire Jore. Publication d'un violent libelle contre Voltaire.
Août : début de la correspondance avec Frédéric, prince royal
de Prusse. Nouveaux démêlés avec Jean-Baptiste Rousseau.
Novembre : scandale du *Mondain ;* Voltaire s'éloigne en
Hollande.

1737   De retour à Cirey (avril), Voltaire reçoit des présents de Frédéric. En décembre, il achève *Mérope* (tragédie).

1738   Janvier : composition des premiers *Discours sur l'homme*.
Voltaire écrit un traité sur la nature et la propagation du feu,
sujet mis en concours par l'Académie des sciences de Dijon.
Août : publication en France des *Éléments de la physique de
Newton*. Octobre : il écrit *le Préservatif* contre Desfontaines,
qui répond par *la Voltairomanie*. La querelle dure jusqu'en
juin 1739.

1739   Mai-août : séjour en Belgique avec Mme du Châtelet. Juin :
Voltaire envoie à Frédéric *la Relation du voyage de M. le Baron
de Gangan*, première version de *Micromégas*. Septembre-octobre :
séjour à Paris; Voltaire travaille à *Mahomet* (tragédie), et compose la *Réponse à toutes les objections principales faites en France
contre la philosophie de Newton*. Novembre : après un court
séjour à Cirey, nouveau départ pour la Belgique où Voltaire
reste jusqu'en novembre 1741. Le 24 novembre : condamnation
du début du *Siècle de Louis XIV*, paru dans un recueil de pièces
fugitives en prose et en vers, et saisi par la police.

1740   Voltaire travaille simultanément à des tragédies, au *Siècle de
Louis XIV*, à la défense de Newton, à la révision de l'*Anti-
Machiavel*, ouvrage de Frédéric, que Voltaire était chargé
de faire imprimer. Septembre : il rencontre à Clèves Frédéric II,
devenu roi depuis le 1er juin. Novembre : voyage à Berlin;
Voltaire propose au cardinal Fleury de sonder les intentions de
Frédéric à propos de la Silésie.

1741   Avril : première de *Mahomet* à Lille. Juin : début de la rédaction de l'*Essai sur les mœurs*. Novembre : retour à Paris; Frédéric II tente de brouiller Voltaire avec Versailles. Décembre : séjour à Cirey.

1742   Août : interdiction de *Mahomet* à Paris; Voltaire veut dédier la pièce au pape. Novembre : de retour à Paris, Voltaire retrouve la faveur de la Cour.

1743-1744 Février : Voltaire se présente sans succès à l'Académie des sciences et à l'Académie française. Le 20 février : première de *Mérope* (tragédie). Juin-octobre : Voltaire est secrètement chargé de mission auprès de Frédéric II. Novembre 1743-avril 1744 : séjour à Paris; avril-septembre à Cirey; puis retour à Paris.

1745   23 février : représentation de *la Princesse de Navarre* pour le mariage du dauphin. 1er avril : Voltaire est nommé historiographe du roi et reçoit une pension de 2 000 livres. Mai : il écrit *la Bataille de Fontenoy*. Août : correspondance avec le pape Benoît XIV, qui accepte la dédicace de *Mahomet*. Voltaire est chargé de rédiger certaines lettres diplomatiques. 27 novembre : création du *Temple de la gloire;* Voltaire s'attire la défaveur de Louis XV, qu'il avait représenté sous les traits de Trajan, en lui demandant sur un ton jugé familier : « Trajan est-il content? »

1746   Élection à l'Académie française; il sera reçu le 9 mai. Démêlés avec le poète Roi qui fait circuler des libelles contre le nouvel académicien, puis long procès contre Travenol (jusqu'en août 1747) qui distribuait ces libelles. Novembre : Voltaire est nommé gentilhomme ordinaire de la chambre du Roi.

1747   Juillet : publication de la première version de *Zadig* (sous le titre de *Memnon*) à Amsterdam. 14 octobre : Mme du Châtelet joue au jeu de la Reine et perd une somme considérable. Voltaire lui dit en anglais : « Ne voyez-vous pas que vous jouez avec des fripons? » La phrase est comprise par les assistants et Voltaire s'enfuit à Sceaux chez la duchesse du Maine. Il travaille de nouveau à *Zadig* et compose *le Monde comme il va.*

1748   Séjour à Cirey, Lunéville, Paris, Commercy. Voltaire est surmené, souvent malade. Il surprend la liaison de Mme du Châtelet et du poète Saint-Lambert. Août : première de *Sémiramis*. 10 septembre : publication à Paris de *Zadig*.

1749   Premiers mois de l'année : *Memnon*. Voltaire revend sa charge de gentilhomme de la chambre du Roi, mais il en garde le titre. Juin : *Nanine*. 10 septembre : mort de Mme du Châtelet. Profondément chagriné, Voltaire retourne à Paris. Mme Denis, sa nièce, vient habiter avec lui.

1750 Juillet : Voltaire est à Berlin à la cour de Frédéric II ; il est nommé chambellan du roi, chevalier de l'ordre du Mérite et reçoit une pension de 20 000 livres. Novembre 1750-février 1751 : procès contre Hirsch et achèvement du *Siècle de Louis XIV*.

1752 Voltaire termine l'*Histoire de la guerre de 1741*. La querelle avec Maupertuis, contre qui il lance la *Diatribe du docteur Akakia*, achève de ternir ses rapports avec Frédéric II.

1753 Le 27 mars, Voltaire quitte Berlin, brouillé avec le roi. En juin, il est arrêté et détenu à Francfort. Louis XV lui ayant interdit de regagner Paris, Voltaire s'installe à Colmar. Il est vraisemblable qu'il compose alors l'*Histoire des voyages de Scarmentado*.

1754 Après un séjour à l'abbaye de Senones, chez Dom Calmet, où il travaille à l'*Essai sur les mœurs*, Voltaire s'installe à Genève.

Voltaire jeune
par Largillière

VOLTAIRE CONTEUR

Le roman et le conte avant Voltaire Les réussites admirables des grands auteurs classiques ont relégué au deuxième plan l'existence, au XVIIe siècle, d'une littérature moins noble qui, au lieu de flatter le goût du grand et du sublime, répondait à un besoin d'évasion et satisfaisait la recherche du merveilleux, du romanesque, de la fantaisie. La fable, le conte, le roman, la nouvelle se développaient parallèlement à la grande littérature. Ils connurent, au début du XVIIIe siècle, une faveur grandissante. L'éclat des grands genres, les règles rigoureuses dans lesquelles les avait enfermés la réflexion esthétique du temps, le respect que l'on avait pour le génie de Corneille, de Racine, de Molière, stérilisaient les efforts déployés pour imiter ces grands maîtres. Le théâtre avait été la grande cérémonie profane à la cour de Louis XIV. Mais, après la disparition de la génération qui avait fait la Fronde, à mesure que disparaissaient aussi les contemporains de Racine et que le roi vieillissant se détournait des divertissements, la tragédie, qui ne pouvait subsister en dehors d'un climat de grandeur et de générosité, s'acheminait vers son déclin. Son recul coïncide avec l'épanouissement des genres jusqu'alors considérés comme mineurs. Échappant à l'impérialisme versaillais, les lettres se réfugient dans des foyers particuliers, aristocratiques sans doute, mais non fastueux, plus curieux de psychologie, de morale, de philosophie, et moins sensibles à la grandeur tragique que les générations précédentes. L'art théâtral, collectif par essence, cédait le pas aux récits en prose plus intimes. Le roman allait combler le besoin de poésie des nouvelles générations.

C'est à tort que l'on voit parfois, dans le XVIIIe siècle, une époque de raison exclusive, comme s'il pouvait se faire que l'on vécût sans poésie. En réalité, le siècle s'ouvre sur le succès de *Télémaque*, des contes de Perrault ou de Mme d'Aulnoy, qui charment encore les enfants de notre temps. Bien vite, l'on apprécia les aventures picaresques de *Gil Blas de Santillane*, la piquante fantaisie de Montesquieu, les délicatesses du marivaudage, le tragique réaliste de *Manon Lescaut*. Cela ne signifie pas que l'on délaissait le théâtre, mais que l'on goûtait de plus en plus la lecture privée qui permettait de s'évader plus librement dans un monde imaginaire, et la lecture d'œuvres plus courtes et plus nerveuses qui faisaient l'agrément des réunions de salons. Les limites entre le conte, le roman, la nouvelle, étaient encore indécises : il est possible qu'on les ait distingués entre eux par la longueur plus que par leur contenu, et cette longueur dépendait elle-même des conditions de lecture. Comme ces genres n'avaient pas été catalogués par Boileau, et qu'ils n'étaient pas fixés par une tradition unique, ils accueillaient tout ce que refusaient les conventions classiques. L'invention se donnait libre cours. L'ère des libertés au XVIIIe siècle commença par la libération de l'imagination et par la recherche d'une nouvelle poésie.

Cette littérature d'imagination fut stimulée par la connaissance des mœurs et des littératures orientales. Les récits des voyageurs et des missionnaires avaient ouvert de nouvelles fenêtres à notre monde occidental qui, après avoir assimilé les civilisations grecque et romaine, s'était fermé sur lui-même. Non seulement l'Orient joua un rôle important dans la réflexion philosophique au XVIIIe siècle, mais il élargit singulièrement le champ de l'imagination française : le dépaysement géographique autorisait une plus grande liberté d'invention, celle-ci n'étant plus tenue en bride par la logique et la vraisemblance occidentales. L'événement le plus important, à cet égard, fut la traduction des *Mille et une nuits* (1704-1717) par Galland. Le succès en fut si grand, qu'on écrivit les *Mille et un jours* — il fallait s'y attendre —, puis les *Mille et une heures*, enfin les *Mille et un quart d'heures ;* et, comme il était risqué de faire plus court, on y alla des *Mille et une fadaises*, — il fallait y penser! Mais à mesure que l'Orient pénétrait dans le monde imaginaire occidental, il perdait sa force et sa sève. Objet de curiosité d'abord, puis prétexte à la satire, il ne fut plus bientôt qu'un moyen artificiel de renouveler le vieux fonds des récits les plus traditionnels, et il finit par servir de cadre tout extérieur aux aventures les plus extravagantes et les moins exotiques. C'est ainsi qu'Arlequin troqua son habit de couleurs et son sabre de bois contre la gandoura de *Grand Vizir* ou de *Roi de Sérendib*. Il devint même ... *Sultane favorite*! En écrivant des contes orientaux, Voltaire n'inventait rien. Il se conformait même à une mode qui était sur le point de passer.

Le conte de Voltaire   Voltaire vint tard et progressivement aux contes. Il avait quarante-cinq ans lorsque, en juin 1739, il envoya à Frédéric, prince royal de Prusse, la *Relation du voyage de Monsieur le Baron de Gangan*, qui devait devenir plus tard *Micromégas*. Il attendit encore près de dix ans pour composer : *Zadig* ; *le Monde comme il va* ; *Memnon*. Fidèle à l'esthétique classique, il pensait que seuls les grands genres étaient dignes d'un grand poète. On l'eût fort étonné, si on lui avait prédit qu'un jour ses « bagatelles », ses « fadaises », ses « plaisanteries », comme il les nommait lui-même, constitueraient peut-être la partie la plus vivante de son œuvre.

Il écrivit d'abord des contes entre deux entreprises plus sérieuses, pour se délasser et pour répondre à la demande des cours qu'il fréquentait. Dans la société de la duchesse du Maine, on organisait une sorte de loterie littéraire : celui qui tirait la lettre C, devait composer une comédie ; O, un opéra... La lettre N échut à une dame qui se trouva ainsi dans l'obligation de fournir une nouvelle, pensum redoutable pour elle, plus habituée sans doute aux hasards de la roulette. Voltaire consentit à la tirer d'embarras, et ce fut peut-être ainsi qu'il fit ses premiers essais dans le genre. Quoi qu'il en soit, on ne saurait comprendre les premiers contes en dehors de ce public élégant et cultivé auquel ils étaient destinés. Une mode, un goût, des traditions diverses du conte existaient : Voltaire s'y soumit. Il comprit même si bien la nature du genre, qu'il le réduisit à sa forme essentielle, jouant en virtuose de toutes les possibilités qu'il offrait. Merveilleux, aventures romanesques, peintures satiriques ou psychologiques, etc. se retrouvent dans ses contes. Il ne refusa rien, hormis l'insignifiance. Sans cesser d'être un divertissement, le conte devint aussi philosophique.

Pour les contemporains de Voltaire, le terme de *philosophie* recouvrait des nuances variées. Mais il semble qu'il ait surtout servi de mot de ralliement. Étaient *philosophes* ceux qui participaient, dans les domaines les plus divers, à ce mouvement de réflexion critique qui, au XVIIIe siècle, remit en question les fondements de la société, de la morale, de la politique, de la religion, du savoir. La philosophie était une attitude d'esprit plus qu'une doctrine commune à plusieurs ; le mot-clef était la *raison*, c'est-à-dire l'ordre de l'esprit opposé au désordre des choses. Et il est vrai que, dans les contes et les romans, comme à travers les autres ouvrages, se poursuivent les luttes que Voltaire mena contre les préjugés, les abus, l'injustice, l'intolérance, et pour la liberté indispensable au progrès des « lumières », à la prospérité matérielle, et, en définitive, au bonheur des individus et des sociétés. Hardie, révolutionnaire même en son temps, la pensée de Voltaire exerça une influence historique que l'on ne saurait sous-estimer.

Il faut se garder, toutefois, de confondre les époques dans la succession des contes : ils jalonnent un itinéraire spirituel ; or il y a des « moments » dans la pensée de Voltaire : commun à tous les contes, l'adjectif « philosophique » n'a donc pas la même nuance dans *Micromégas* et dans les récits postérieurs à *Candide*. Ni *Zadig*, ni *Memnon*, ni *le Monde comme il va* ne se proposent encore d'écraser l'Infâme ou de combattre les progrès de l'athéisme. Il convient encore de ne pas confondre Voltaire et ses successeurs spirituels. Car rien — pas même la haine de ses détracteurs — n'a rendu de plus mauvais service à Voltaire que le « voltairianisme » de ses partisans. Au siècle dernier, Flaubert parlait du « dégoût que lui inspiraient les voltairiens, des gens qui rient sur les grandes choses », et invitait à distinguer entre eux et Voltaire : « Est-ce qu'il riait, lui ? il grinçait. » De tant de combats menés sur les fronts les plus divers, de tant de généreuse passion à imaginer une humanité libérée de ses désordres et réconciliée avec elle-même, piteusement on n'a retenu parfois qu'un tour d'esprit qui donne aux grandes choses des proportions mesquines, un tour sceptique et désinvolte, particulièrement efficace dans la satire anti-chrétienne. C'est ainsi que l'esprit le plus libre est devenu le prisonnier de libres penseurs, qu'au fond il aimait peu, et l'abomination des bien-pensants, dont il a dit autant de bien que de mal, mais dont sûrement il n'était pas. Diable pour ceux qui croient en Dieu, et Saint pour ceux qui n'y croient pas. Trop longtemps Voltaire n'a survécu qu'à travers les luttes partisanes d'un autre temps que le sien, d'un autre temps que le nôtre. Réduite à un tour d'esprit essentiellement profanateur, détaché du contexte historique qui l'explique en partie, séparée de l'histoire personnelle de Voltaire, l'ironie voltairienne n'est plus qu'une grimace. Heureux — ou bien pauvre — qui se contente de ce rictus!

Or la physionomie de Voltaire est mobile entre toutes, et bien difficile à saisir. Il appartenait à la critique récente de rejeter le masque et de redécouvrir un homme avec toute sa richesse intérieure. Voltaire n'avait pas de sensibilité, a-t-on dit. Or il connut l'amour, l'amitié, et même les trahisons. Il y a dans sa vie des triomphes éclatants, mais aussi des humiliations reten-tissantes. Il sut le vide intérieur et le désarroi moral. Il aima la grandeur, l'émotion et le pathétique. Il fut un cérébral, a-t-on encore dit. Et pourtant nul mieux que lui n'a dit le malheur de la pensée. Voltaire n'aurait pas tant dénigré la métaphysique, s'il n'avait pas attendu tant d'elle. Candide était malheureux chaque fois qu'il pensait. Le même malheur atteint Zadig et Memnon, et ne quitte presque jamais Voltaire. C'est que, par dessus tout, Voltaire avait l'intuition d'un ordre idéal, plato-nicien même. Mais au lieu de se laisser séduire par les mirages de quelque mythe poétique, il a surtout exhalé sa déception devant l'absurde réalité. Les sarcasmes de Voltaire ne peuvent faire oublier que le démon de l'impossible perfection a habité son âme plus que l'esprit négateur. Son scepticisme — que l'on veut croire enjoué, et qui l'est parfois — ressemble plus à une défaite qu'à une sagesse lentement conquise. Il pouvait, à ses moments de bonne humeur, s'accommoder d'un scepticisme souriant. Mais quand il était soumis à un état dépressif ou à un accès de nervosité, quand le désordre du monde faisait quelque victime ou l'atteignait lui-même, Voltaire traversait une profonde crise morale. Alors il redevenait conteur, et plus métaphysicien que jamais. Le conte est la projection dramatisée d'un univers in-térieur agité qui se développe en une vision du monde dominée par la déraison. Il marque le sommet d'une crise, la prise de conscience la plus aiguë de l'impasse intellectuelle et morale dans laquelle se trouve Voltaire. Et cette période de crispation est suivie généralement d'une détente. On sait toute la méfiance de Voltaire à l'égard des fables. Ce sont pourtant les fables qu'il invente qui expriment le mieux sa situation morale et font évoluer sa pensée. Il est à la fois poète et philosophe. Ainsi les contes ne sont pas « philosophiques » parce qu'ils sont une « arme de combat », mais plutôt parce qu'ils sont une interrogation inquiète sur les grands problèmes de l'existence humaine.

Naissance du conte Le conte philosophique est issu de la crise que Voltaire traversa entre 1747 et 1749. De cette époque datent *Zadig*, *Babouc*, *Memnon*. Parce qu'ils sont trois moments différents d'une même crise, ils doivent être étudiés ensemble : ils se complètent, se répondent l'un l'autre, dialoguent pour ainsi dire entre eux. Quittant Cirey, Voltaire retrouve la vie des cours. Il perd cette position rassurante qu'occupe tout individu quand il est placé au centre d'une société, si réduite soit-elle, pour graviter avec d'autres courtisans autour de la personne royale. Au reste, Cirey n'avait été qu'une intermittence entre les disgrâces d'autrefois et les menaces du présent. Le souvenir des déboires passés vient alimenter et grossir l'insatisfaction que Voltaire éprouve à la Cour de Louis XV. A ces changements de situation qui ont un retentissement inévitable sur une sensibilité vite affectée, s'ajoutent les difficultés que Voltaire éprouve à être pleinement heureux, alors qu'il croit n'avoir plus rien à désirer. *Me voici dans un beau palais*, écrit-il, *avec la plus grande liberté (et pourtant chez un roi), avec toutes mes paperasses d'historiographe, avec Madame Du Châtelet, et avec tout cela, je suis un des plus malheureux êtres pensants qui soient dans la nature.* Le malaise est dans l'existence même : il naît de la constatation que la vie déborde de toutes parts, d'une manière incompréhensible, les principes sur lesquels nous nous réglons, nous mettant dans une situation paradoxale jusqu'à l'absurde; la raison, pourtant saine, est comme désaxée, sans aucune prise sur la réalité; elle tourne à vide, laissant l'individu avec une surabondance d'être qui reste sans signification. Voltaire doute de plus en plus que la raison nous donne la possession du monde et l'empire de nous-mêmes. Et le bonheur, qui est plénitude, semble être, comme la grâce divine ou la beauté, un don gratuit ou fortuit. Les contes écrits à cette époque témoignent de l'embarras émouvant de Voltaire aux prises avec la tentation de l'absurde et l'exigence d'une raison qui ne renonce pas à elle-même.

Le temps n'est plus où l'auteur du *Mondain* chantait son hymne au plaisir, fort d'un bonheur insolent jusqu'à la provocation, scandaleux même par l'oubli de ceux qui souffrent. Maintenant, Voltaire se demande si le bonheur est seulement possible. Ce qu'il découvre à la fois, c'est l'ample réalité du mal et le problème qu'elle pose à la réflexion déiste. Fondé sur le principe que Dieu, essentiellement bon, ne pouvait créer le mal, et rejetant l'explication chrétienne du mal par le péché originel, le déisme ne pouvait proposer d'autre solution au problème qu'en le supprimant : le mal n'est qu'un aspect ou un moyen du bien. Le mérite de Voltaire est d'avoir maintenu ouvert un débat que l'on escamotait. Si sa réflexion se développe à partir d'une expérience personnelle, le problème n'en reste pas moins posé dans ses dimensions universelles.

Par un décalage surprenant, au moment où Voltaire éprouve en lui-même l'atteinte du mal par cette sorte de difficulté de parvenir à la plénitude, il ne dit rien des divisions intérieures de l'individu. Le mal n'est encore qu'une invasion venue de l'extérieur. Plus tard, il parlera dans *Candide* des *convulsions de l'inquiétude* et de la *léthargie de l'ennui*. Le problème, bien que Voltaire ait été un lecteur attentif de Pascal, ne se présente pas à lui d'emblée dans toute son étendue. La méditation sur le mal est lente. C'est qu'elle repose tout entière sur les bilans que Voltaire dresse à certaines époques de sa vie. Si *Zadig* intègre à l'expérience nouvelle que Voltaire fait de la Cour les souvenirs des années où il a commencé à la fréquenter, *Candide* reprendra en l'approfondissant un malaise qui a commencé à l'époque où il composait *Zadig*.

Voltaire, il est vrai, ne pensera jamais que le mal soit dans l'homme la marque d'une nature « blessée ». En 1748, il pense qu'il réside dans un mauvais rapport, si ce n'est encore de l'individu à lui-même, du moins de l'individu à la société, et de la société à l'ordre universel voulu par la Providence. Les trois contes qu'il écrivit à cette époque mettent successivement l'accent sur la Providence *(Zadig)*, sur la société *(Babouc)*, sur l'individu *(Memnon)*. *Zadig* est un acte de confiance dans la suprême sagesse de Dieu; *Babouc* marque l'acceptation par Voltaire du monde tel qu'il est; *Memnon*, c'est le retour de l'absurde. *Babouc* seul révèle une certaine disposition à l'indulgence, aux accommodements, à ce que l'on a appelé le « scepticisme souriant » de Voltaire et que l'on retrouve si rarement dans les contes. *Zadig* et *Memnon*, précisément parce qu'ils refusent les facilités du scepticisme, ont des arêtes plus vives et s'opposent radicalement entre eux. *Zadig*, en effet, laisse percer l'espoir qu'un monarque éclairé pourra rétablir l'âge d'or, s'il a bien compris que le gouvernement sur terre doit reproduire l'ordre général que la Providence fait régner dans l'univers : le providentialisme que Voltaire empruntait à Leibniz et à Pope trouve ainsi un point d'application dans la politique dont dépend le bonheur des hommes. Mais à ces spéculations sublimes Memnon oppose la réalité de son irréparable malheur : jamais de belles paroles ne soulageront d'un grand mal, et le conte traduit la méfiance réaliste de Voltaire devant les prestiges d'un beau mythe qui paye seulement de fausse monnaie. Zadig regarde la terre avec les yeux de la raison céleste; Memnon regarde le ciel avec les yeux de la misère terrestre. Tout se passe comme si Voltaire remettait en question la solution à laquelle il s'était un instant arrêté, comme si, sortant d'une crise, il s'y replongeait. Le problème revient à son point de départ plus douloureusement que jamais : il ne recevra pas de solution satisfaisante.

Voltaire pourtant ne s'abandonnera pas à la douceur de la plainte ni à la grandiloquence du désespoir. Il reste qu'il faut vivre : le moins mal, c'est d'emprunter la voie moyenne, celle qu'une sagesse désabusée se fraye entre les ronces d'un pessimisme irrité et les ravinements d'un cynisme immoral. Et ce n'est pas le moindre paradoxe de ces contes en apparence si légers, nés dans le beau monde et faits pour lui, destinés à produire comme un feu d'artifice, que d'exprimer une si profonde inquiétude. Voltaire fait un effort pour vaincre en lui ce désir de perfection qui le hante, et se convaincre qu'il faut accepter le monde tel qu'il est. Ce « sceptique » qu'on dit si réaliste eut le plus grand mal à s'accommoder avec la réalité. Écrire, c'est déjà se libérer. Mais Voltaire n'est pas un romantique livré à sa solitude. De ces contes, il fait des intermèdes qu'il lit en plein théâtre. Il fait de son mal un divertissement, le joue sur le mode comique en présence de la société la plus sceptique qui ait été. Les applaudissements qu'il recueillait étaient rassurants comme une confirmation. Dilué dans le scepticisme général d'une société qui vivait par delà le bien et le mal, le pessimisme de Voltaire s'atténuait. L'auteur de *Memnon* reprenait sa place dans « le monde comme il va ».

BIBLIOGRAPHIE

Georges Ascoli, *Zadig*, édition critique (révision par J. Fabre), Didier, 1962.

André Bellessort, *Essai sur Voltaire*, Perrin, 1926.

André Delattre *Voltaire l'impétueux*, Mercure de France, 1957.

Gustave Lanson, *Voltaire*, Hachette, 1905.

Robert Mauzi, *l'Idée de bonheur au XVIIIe siècle*, Armand Colin, 1960.

Raymond Naves, *Voltaire, l'homme et l'œuvre*, Hatier, 1942.

Jean Orieux, *Voltaire*, Flammarion, 1966.

René Pomeau, *Voltaire par lui-même*, éd. du Seuil, 1955.

René Pomeau, *la Religion de Voltaire*, Nizet, 1956.

René Pomeau, *la Politique de Voltaire*, Colin, 1963.

Théodore Besterman, *Voltaire's Correspondence*, Genève, 1953-1965.

Verdun-Louis Saulnier, *Zadig*, Droz, 1947.

Paul Valéry, « Discours sur Voltaire » (*Variété* I), 1940.

Jacques Van den Heuvel, *Voltaire dans ses contes*, Colin, 1967.

René Pomeau, *Voltaire : romans et contes*, Garnier-Flammarion, 1966.

La Table Ronde, numéro spécial, février 1958.

Europe, numéro spécial, mai-juin 1959.

Studies on Voltaire and the Eighteenth Century, Droz, 1958.

GABRIELLE·EMILIE·DE·BRETEVIL
EPOVSE·DE·FLORENT·CLAVDE·MARQVIS·DV·CHATELET·LORRAINE
BARON·DE·CIRCY·LIEVTENANT·Gⁿˡ·DES·ARMEES·DV·ROY·GOVVERNEVR·DE
SEMVR·Gˡ·BAILLY·DES·PAYS·D'AVNOIS·&·DE·SARRE·LOVIS·MORTE·EN·1749

Madame du Châtelet
par Marianne Loir

Le pavillon de l'Aurore
à Sceaux, chez la duchesse du Maine

ZADIG

La composition   *Zadig* parut à Amsterdam en juillet 1747. Le conte s'intitulait alors *Memnon* et ne prit son titre définitif qu'en septembre 1748. Sur les circonstances dans lesquelles a été composé ce *Memnon*[1], nous ne savons rien. L'édition hollandaise semble même avoir été complètement ignorée en France. Nos renseignements en revanche sont plus précis pour l'édition française. En octobre 1747, après l'incident au jeu de la Reine (voir p. 6 à la date de 1747), Voltaire et Mme du Châtelet s'enfuirent à Sceaux, chez la duchesse du Maine. C'est alors que Voltaire reprit son roman. Chaque soir, il en lisait un chapitre à la duchesse. Il en divertissait également les spectateurs des représentations théâtrales qu'il organisait, à Sceaux d'abord, quand il ne fut plus obligé de se cacher, puis à Lunéville, durant le séjour qu'il fit à la cour du roi Stanislas de février à mai 1748. On le pressa d'éditer le roman et il promit de le faire. Du 28 août au 10 septembre, il est à Paris où il accompagne le roi Stanislas. Il donne alors le manuscrit de *Zadig* à deux libraires différents, Prault et Machuel : à l'un le début, à l'autre la fin; puis il refuse de livrer à chacun le complément de l'ouvrage. Les deux libraires furent contraints de lui remettre les parties déjà imprimées. Voltaire les fit brocher et put expédier le roman complet le 10 septembre 1748. Par cette ruse, il évitait les spéculations secrètes des libraires et réservait la primeur de l'ouvrage à ses amis.

Le *Zadig* de 1748 contenait une dédicace et deux chapitres nouveaux : *le Souper* et *le Pêcheur*. En 1752, Voltaire ajoute l'épisode de *Yébor*, au chapitre IV, et une amabilité à l'adresse de Frédéric II. Les modifications les plus nombreuses se trouvent dans l'édition de 1756 : nous ne citerons que la division de l'ancien chapitre VI, *les Jugements*, en deux chapitres : *le Ministre; les Disputes et les Audiences*.

La structure   L'originalité de *Zadig*, c'est d'être un roman composé de plusieurs contes réunis les uns aux autres de manière à former une histoire suivie. Pour Voltaire, la difficulté majeure était de trouver cette unité d'ensemble par rapport à laquelle s'ordonnent les divers épisodes. On a pu croire un moment qu'il avait échoué : « Il n'y a point d'intérêt, écrivait l'abbé Raynal, à la publication de *Zadig;* ce sont des contes de quelques pages, détachés les uns des autres. » Conscient du danger, Voltaire s'est attaché, d'une édition à l'autre, à

---

1. Complètement différent du conte qui maintenant porte ce titre (voir p. 114, note 1).

resserrer la trame qui réunit entre eux les différents épisodes; il fait souvent le point de l'action, il renvoie d'un chapitre à l'autre, laisse attendre la suite. Rapidement, l'intrigue qui se noue entre Zadig et Astarté fournit un fil conducteur : l'amour naissant est contrarié par des obstacles insurmontables; les deux amants doivent se séparer; ils se retrouvent enfin et leur union donne au roman une heureuse conclusion. Les divers médaillons sont ainsi réunis en un solide collier.

Toutefois l'unité de *Zadig* est beaucoup plus profonde : plus qu'à l'intrigue, elle tient à l'intention philosophique de Voltaire. Le roman raconte l'histoire d'un jeune homme qui, cherchant le bonheur, finit par le trouver après de multiples et dures épreuves. Mais *Zadig* c'est aussi l'histoire de la Providence elle-même, qui choisit le meilleur d'entre les hommes pour l'investir d'une mission particulière après l'avoir dûment formé. L'intérêt du roman réside précisément dans ce double mouvement qui aboutit à une rencontre : un homme s'élève peu à peu jusqu'à ce que son intelligence soit apte à recevoir une révélation; la Providence descend vers l'homme pour lui apprendre le secret de ses voies et l'économie mystérieuse de son gouvernement. L'entretien de Zadig et de l'Ermite constitue le point focal du roman. Tous les chapitres qui précèdent sont l'exploration des différentes formes du mal qui s'opposent au bonheur de l'individu comme des sociétés. Un seul chapitre — le dernier — résout en un faisceau harmonieux toutes les divergences précédemment rencontrées.

Zadig est donc « l'institution » d'un jeune homme par la Providence. C'est dire que le roman s'apparente aux récits initiatiques, puisque le bonheur n'est atteint qu'après une révélation. Invisible mais omniprésente, la Providence enseigne d'abord par la leçon de l'expérience; par la bouche de l'ange Jesrad ensuite, elle parachève cet enseignement en expliquant ce que le disciple ne comprend pas; elle le laisse enfin « courir son train », lorsque Zadig, connaissant l'ordre qui régit l'univers, est apte à devenir un bon roi.

Le mouvement du récit, en décrivant des cercles de plus en plus larges qui vont du particulier à l'universel, tend tout entier vers l'ajustement de l'intelligence humaine sur la raison divine. Habitant d'un quartier de Babylone, Zadig est d'abord un simple particulier n'ayant pas d'autre ambition qu'un bonheur sans histoire. Quand il a reconnu que le bonheur individuel est solidaire du bonheur général, la Providence le fait devenir premier ministre d'un des plus grands États du monde antique. L'exil, en l'arrachant à sa classe sociale et à son pays, lui fait faire la plus large expérience de la terre des hommes. A chacun de ces trois grands moments, la Providence se manifeste de plus en plus ouvertement. Elle se révèle d'abord par l'infinie variété de la nature, quand Zadig, retiré dans sa maison de campagne, se livre en philosophe à l'étude des sciences. Puis, quand Zadig fuyant vers l'Égypte contemple la voûte du ciel nocturne, elle se fait sentir à lui par l' « ordre immuable de l'univers ». Jesrad enfin l'invite à dépasser les limites du regard, à imaginer « ces millions de mondes [...] dans les champs infinis du ciel », disposés selon une architecture admirable que seule pouvait inventer une Intelligence suprême.

Mais, s'il est vrai qu'à l'élargissement de l'expérience humaine de Zadig correspond une manifestation progressive et parallèle de la Providence, il s'en faut de beaucoup que le héros perçoive cette révélation. Bien loin d'être une montée vers de sublimes hauteurs, l'itinéraire spirituel de Zadig est une descente vers les abîmes. Ce qu'il découvre de plus en plus nettement, c'est l'incompréhensible persécution des innocents, c'est le scandale auquel sont soumis les justes, c'est le désordre universel dans lequel est plongé notre monde. Son cheminement intérieur le conduit d'une naïve confiance en la possibilité du bonheur, à la révolte ouverte contre la Providence. L'intervention de Jesrad empêche de justesse le blasphème et remet tout en ordre.

Pour rendre compte de la structure de *Zadig*, le plus simple est de recourir à une figure géométrique représentant deux spirales en forme de cône, opposées par le sommet. En s'ouvrant de plus en plus, la spirale du bas symbolise l'ouverture de Zadig au monde des hommes en même temps que son évolution spirituelle à mesure qu'il découvre mieux le scandale du mal. Symétriquement opposée, la spirale du haut décrit la manifestation progressive de la Providence et fait sentir la présence d'un ordre supérieur qui contraste avec le désordre terrestre. Ce qui se passe après l'entretien de Zadig et de l'Ermite, c'est un renversement total de cette structure : au lieu de s'opposer, les deux cônes s'emboîtent l'un dans l'autre. Sur la terre des hommes, l'absurde s'estompe et cède la place à la promesse d'un ordre.

L'interprétation   On est frappé par la comparaison constante, établie aux moments critiques du roman, entre l'ordre répandu dans l'univers physique et le désordre qui règne dans l'univers moral. Ce rapprochement, peut-être, n'a pas été expressément recherché, mais il ne saurait être fortuit. Voltaire, en effet, fut un des premiers à intégrer la réflexion scientifique à la réflexion morale. L'univers matériel, pour lui comme pour Newton et Réaumur, est le milieu divin où se lit la sagesse insurpassable du Créateur. Il est par conséquent le lieu de l'innocence, d'où est exclu tout mal. Il remplit, dans le système de pensée déiste, le rôle du paradis terrestre dans d'autres religions. Le mal ne se trouve que dans l'univers moral. Ainsi l'absurdité du monde des hommes se détache-t-elle sur le fond de lumineuse raison qui règne dans le monde matériel[1].

Or un même Dieu a créé l'univers matériel et les hommes. La vie sur terre ne peut donc être totalement absurde. La réflexion morale de Voltaire repose sur l'intuition qu'un ordre de sagesse doit se trouver parmi les hommes, reflet de cette harmonie universelle qui se lit dans la nature. Mais tout, sur terre, aussi bien l'existence individuelle, incapable de perfection, que la vie des sociétés, soumises aux abus et aux guerres, semble nier cet ordre. La pensée de Voltaire débouche sur une énigme : finalement les paroles de Jesrad paraissent bien moins mystérieuses que le scandale du mal sur lequel achoppe l'intelligence de Zadig, puisque la révolte commence à la déroute de la raison.

Le providentialisme de Pope fournit à Voltaire une solution métaphysique : Dieu a disposé les choses de telle manière que tout concourt au bien. Le mal aussi a sa raison d'être, mais c'est une raison qui ne se communique pas à nous; la seule attitude humaine qui convienne, c'est l'adoration. Voltaire reste fidèle à ces principes, que sa pensée ne pourra jamais dépasser, et qui réapparaîtront à l'occasion de chaque crise.

Mais l'on aurait tort de limiter au providentialisme la leçon de *Zadig*. A défaut d'une solution métaphysique originale, Voltaire trouve une solution pratique. Un certain degré de bonheur peut être réalisé sur terre grâce à la détermination des hommes vertueux. Le sage est certainement malheureux dans un monde où dominent les méchants et les sots. La tâche urgente est la réforme de nos sociétés grâce à des hommes d'État qu'éclaire la raison de Dieu. Point de bonheur sans une saine politique. Sans doute Zadig avait-il déjà compris, quand il était premier ministre, dans quel sens il devait œuvrer. Mais il était un technicien de la politique et non un philosophe. La Providence, qui l'a choisi, l'accable de malheurs et le poursuit jusqu'à ce que, levant les yeux au ciel, il comprenne, comme Voltaire, que le « monarque éclairé » est celui par qui l'ordre divin se communique au monde des hommes. Grâce à un roi qui est aussi un philosophe, il est possible de tenir en bride le mal nécessaire qu'on ne saurait expulser de notre monde. La royauté de Zadig n'est pas une concession au genre romanesque, ni une belle récompense qu'une Providence repentante accorderait à l'homme vertueux. Elle est l'achèvement d'un dessein providentiel

---

1. Il semble qu'il faille attendre *le Désastre de Lisbonne* et *Candide* pour voir le mal étendre son empire à l'univers physique.

en marche depuis le début du roman. Elle est aussi l'avènement imaginaire d'une ère nouvelle que Voltaire appelle de ses vœux, lui qui fait dépendre le bonheur individuel de l'organisation sociale, la civilisation d'un monarque éclairé, la politique de la religion.

**Portrait de Frédéric de Prusse
par Antoine Pesne**

PH. GIRAUDON

« ... se promenant ensemble... sous
les palmiers qui ornaient le rivage
de l'Euphrate... » (p. 28, l. 39)

ZADIG OU LA DESTINÉE

APPROBATION

Je soussigné, qui me suis fait passer pour savant, et même pour homme d'esprit [1], ai lu ce manuscrit, que j'ai trouvé, malgré moi, curieux, amusant, moral, philosophique, digne de plaire à ceux mêmes qui haïssent les romans. Ainsi je l'ai décrié, et j'ai assuré M. le Cadi-Lesquier [2] que c'est un ouvrage détestable.

ÉPITRE DÉDICATOIRE
DE ZADIG
A LA SULTANE SHERAA

PAR SADI

Le 18 du mois de Schewal
l'an 837 de l'hégire.

Charme des prunelles [3], tourment des cœurs, lumière de l'esprit, je ne baise point la poussière de vos pieds, parce que vous ne marchez guère, ou que vous marchez sur des tapis d'Iran ou sur des roses. Je vous offre la traduction
5 d'un livre d'un ancien sage, qui, ayant le bonheur de n'avoir rien à faire, eut celui de s'amuser à écrire l'histoire de *Zadig*, ouvrage qui dit plus qu'il ne semble dire. Je vous prie de le lire et d'en juger : car, quoique vous soyez dans le printemps de votre vie, quoique tous les plaisirs
10 vous cherchent, quoique vous soyez belle, et que vos talents s'ajoutent à votre beauté; quoiqu'on vous loue du soir au matin, et que par toutes ces raisons vous soyez en droit

---

1. Probablement Crébillon. — 2. Dignitaire turc qui avait la charge de la religion et des lois. — 3. *Shera* est le nom arabe de Sirius, la plus lumineuse des étoiles. Il rappelle Sheherazade, la sultane qui conte *les Mille et une Nuits*. Voltaire songe peut-être à Mme de Pompadour.

de n'avoir pas le sens commun, cependant vous avez l'esprit
très sage et le goût très fin, et je vous ai entendue raisonner
15　mieux que de vieux derviches à longue barbe et à bonnet
pointu. Vous êtes discrète, et vous n'êtes point défiante;
vous êtes douce sans être faible; vous êtes bienfaisante
avec discernement; vous aimez vos amis, et vous ne vous
faites point d'ennemis. Votre esprit n'emprunte jamais ses
20　agréments des traits de la médisance; vous ne dites de mal
ni n'en faites, malgré la prodigieuse facilité que vous y
auriez. Enfin votre âme m'a toujours paru pure comme
votre beauté. Vous avez même un petit fonds de philosophie
qui m'a fait croire que vous prendriez plus de goût qu'une
25　autre à cet ouvrage d'un sage.

Il fut écrit d'abord en ancien chaldéen, que ni vous ni moi
n'entendons. On le traduisit en arabe, pour amuser le
célèbre sultan Ouloug-beg [1]. C'était du temps où les Arabes
et les Persans commençaient à écrire des *Mille et une Nuits*,
30　des *Mille et un Jours*, etc. Ouloug aimait mieux la lecture
de *Zadig*; mais les sultanes aimaient mieux les *Mille et Un*.
« Comment pouvez-vous préférer, leur disait le sage
Ouloug, des contes qui sont sans raison et qui ne signifient
rien? — C'est précisément pour cela que nous les aimons »,
35　répondaient les sultanes.

Je me flatte que vous ne leur ressemblerez pas, et que
vous serez un vrai Ouloug. J'espère même que, quand vous
serez lasse des conversations générales, qui ressemblent
assez aux *Mille et Un*, à cela près qu'elles sont moins amu-
40　santes, je pourrai trouver une minute pour avoir l'honneur
de vous parler raison. Si vous aviez été Thalestris [2] du temps
de Scander, fils de Philippe, si vous aviez été la reine de
Sabée [3] du temps de Soleiman, c'eussent été ces rois qui
auraient fait le voyage.

45　Je prie les vertus célestes que vos plaisirs soient sans
mélange, votre beauté durable et votre bonheur sans fin.

SADI [4].

---

1. Petit-fils de Tamerlan, il régna de 1416 à 1449. « Il fonda dans Samarcande la
première Académie des sciences, fit mesurer la terre et eut part à la composition des
tables astronomiques qui portent son nom » (Voltaire). — 2. Reine des amazones, elle
proposa à Alexandre (*Scander*) de l'épouser. — 3. La reine de Saba entreprit le voyage
d'Éthiopie en Palestine pour rencontrer Salomon (*Soleiman*) dont elle admirait la sagesse.
— 4. Poète persan, auteur du *Gulistan*, il vécut entre 1185 et 1290. En datant cette épître
de *l'an 837 de l'hégire* (1459), Voltaire fait à tort de lui un contemporain d'*Ouloug-beg*.

CHAPITRE PREMIER

LE BORGNE

Du temps du roi Moabdar [1] il y avait à Babylone un jeune homme nommé Zadig [2], né avec un beau naturel fortifié par l'éducation. Quoique riche et jeune, il savait modérer ses passions; il n'affectait rien [3]; il ne voulait point toujours avoir raison, et savait respecter la faiblesse des hommes. On était étonné de voir qu'avec beaucoup d'esprit il n'insultât jamais par des railleries à ces propos si vagues, si rompus, si tumultueux, à ces médisances [4] téméraires, à ces décisions ignorantes, à ces turlupinades grossières, à ce vain bruit de paroles, qu'on appelait *conversation* [5] dans Babylone [6]. Il avait appris, dans le premier livre de Zoroastre [7], que l'amour-propre est un ballon gonflé de vent, dont il sort des tempêtes quand on lui a fait une piqûre. Zadig surtout ne se vantait pas de mépriser les femmes et de les subjuguer. Il était généreux; il ne craignait point d'obliger des ingrats, suivant ce grand précepte de Zoroastre : *Quand tu manges, donne à manger aux chiens, dussent-ils te mordre* [8]. Il était aussi sage qu'on peut l'être, car il cherchait à vivre avec des sages. Instruit dans les sciences des anciens Chaldéens [9], il n'ignorait pas les principes physiques de la nature tels qu'on les connaissait alors, et savait de la métaphysique ce qu'on en a su dans tous les âges, c'est-à-dire fort peu de chose. Il était fermement persuadé que l'année était de trois cent soixante et cinq jours et un quart, malgré la nouvelle philosophie de

---

1. *Moabdar* : mot créé par Voltaire, à partir de *Moab*, pays à l'arrière de la Palestine, et de *dar*, qui signifie ordinairement « maison », mais qui semble exprimer ici l'idée de possession. — 2. C'est-à-dire le Juste. — 3. Il n'avait pas d'ambition. — 4. C'était un travers à la mode : voir *le Médisant* de Destouches (1715) et *le Méchant* de Gresset (1747). Voltaire dira en 1752 de Mme du Châtelet : « Tout ce qui occupe la société était de son ressort, hors la médisance. Jamais on ne l'entendit relever un ridicule. » — 5. « Les conversations générales ne sont qu'une perte irréparable du temps » (Voltaire). — 6. Entendez Paris. — 7. Réformateur religieux de l'ancienne Perse, auquel on attribue le livre de l'*Avesta*. L'attribution à ce sage de sentences si spirituelles relève de la pure fantaisie. — 8. Proverbe que Voltaire cite fréquemment. Cf. lettre du 2 janvier 1736 à propos de l'ingrat Desfontaines : « Dans quelle loge a-t-on mis ce chien qui mordait ses maîtres? Hélas! je lui donnerais encore du pain, tout enragé qu'il est. » — 9. Voltaire les admirait d'avoir eu l'intuition du système planétaire tel que nous le concevons depuis Copernic.

son temps [1], et que le soleil était au centre du monde ; et
quand les principaux mages lui disaient, avec une hauteur
insultante, qu'il avait de mauvais sentiments, et que c'était
être ennemi de l'État que de croire que le soleil tournait
30 sur lui-même et que l'année avait douze mois, il se taisait
sans colère et sans dédain.

Zadig, avec de grandes richesses, et par conséquent avec
des amis, ayant de la santé, une figure aimable, un esprit
juste et modéré, un cœur sincère et noble, crut qu'il pouvait
35 être heureux. Il devait se marier à Sémire [2], que sa beauté,
sa naissance et sa fortune rendaient le premier parti de
Babylone. Il avait pour elle un attachement solide et vertueux, et Sémire l'aimait avec passion. Ils touchaient au
moment fortuné qui allait les unir, lorsque, se promenant
40 ensemble vers une porte de Babylone, sous les palmiers qui
ornaient le rivage de l'Euphrate, ils virent venir à eux des
hommes armés de sabres et de flèches. C'étaient les satellites du jeune Orcan [3], neveu d'un ministre, à qui les courtisans de son oncle avaient fait accroire que tout lui était
45 permis. Il n'avait aucune des grâces ni des vertus de Zadig ;
mais, croyant valoir beaucoup mieux, il était désespéré de
n'être pas préféré. Cette jalousie, qui ne venait que de sa

---

1. Probablement le système de Ptolémée, et les difficultés des calendriers grec et romain.
Mais allusion évidente aussi à Galilée. — 2. Nom francisé de Sémiramis, « type de l'infidélité
conjugale » (Ascoli). — 3. Anagramme de *Rohan*, facilitée par l'existence d'un personnage
qui porte ce nom dans *Bajazet*, et par une prononciation fautive du *h* latin en *k* (*mihi* = *miki*).

● **Le portrait de Zadig**

Tout est confiance, santé, harmonie dans Zadig ; nulle trace en lui
d'une inquiétude métaphysique, d'une division intérieure,
d'un appel vers un ailleurs. Il n'aspire qu'à un bonheur tout
terrestre. Voltaire, qui ignore délibérément l'explication du mal
par le péché originel, comble son héros de toutes les qualités
physiques et morales, et lui accorde toutes les conditions maté-
rielles qu'on croit nécessaires au bonheur. Un tel homme par-
viendra-t-il à être heureux ? C'est se demander si l'humanité,
limitée et livrée à elle-même, est « capable » de bonheur.
On le voit, Voltaire reprend à sa manière la grande interrogation
pascalienne.
① **Quelles idées et quels traits de caractère Zadig et Voltaire
ont-ils en commun ? Qu'indiquent les tours négatifs et concessifs
qui reviennent si souvent dans le portrait de Zadig ? Pourquoi,
alors que Voltaire insiste sur la jeunesse de son héros, Zadig
donne-t-il l'impression d'être déjà âgé ?**

vanité, lui fit penser qu'il aimait éperdument Sémire. Il
voulait l'enlever. Les ravisseurs la saisirent, et dans les
50 emportements de leur violence ils la blessèrent, et firent
couler le sang d'une personne dont la vue aurait attendri
les tigres du mont Imaüs[1]. Elle perçait le ciel de ses
plaintes. Elle s'écriait : « Mon cher époux! on m'arrache
à ce que j'adore! » Elle n'était point occupée de son danger ;
55 elle ne pensait qu'à son cher Zadig. Celui-ci, dans le même
temps, la défendait avec toute la force que donnent la valeur
et l'amour. Aidé seulement de deux esclaves, il mit les
ravisseurs en fuite et ramena chez elle Sémire, évanouie
et sanglante, qui en ouvrant les yeux vit son libérateur.
60 Elle lui dit : « O Zadig! je vous aimais comme mon époux ;
je vous aime comme celui à qui je dois l'honneur et la vie. »
Jamais il n'y eut un cœur plus pénétré que celui de Sémire.
Jamais bouche plus ravissante n'exprima des sentiments
plus touchants par ces paroles de feu qu'inspirent le senti-
65 ment du plus grand des bienfaits et le transport le plus
tendre de l'amour le plus légitime. Sa blessure était légère ;
elle guérit bientôt. Zadig était blessé plus dangereusement ;
un coup de flèche reçu près de l'œil lui avait fait une plaie
profonde. Sémire ne demandait aux dieux que la guérison
70 de son amant. Ses yeux étaient nuit et jour baignés de
larmes : elle attendait le moment où ceux de Zadig pour-
raient jouir de ses regards ; mais un abcès survenu à l'œil
blessé fit tout craindre. On envoya jusqu'à Memphis[2]
chercher le grand médecin Hermès[3], qui vint avec un
75 nombreux cortège. Il visita le malade et déclara qu'il
perdrait l'œil ; il prédit même le jour et l'heure où ce funeste
accident devait arriver. « Si c'eût été l'œil droit, dit-il, je
l'aurais guéri ; mais les plaies de l'œil gauche sont incu-
rables. » Tout Babylone, en plaignant la destinée de Zadig,
80 admira la profondeur de la science d'Hermès. Deux jours
après, l'abcès perça de lui-même ; Zadig fut guéri parfaitement. Hermès écrivit un livre où il lui prouva qu'il n'avait
pas dû[4] guérir. Zadig ne le lut point ; mais, dès qu'il put
sortir, il se prépara à rendre visite à celle qui faisait l'espé-
85 rance du bonheur de sa vie et pour qui seule il voulait avoir

---

1. L'Himalaya. — 2. Capitale de l'ancienne Égypte. — 3. *Hermès*-Trismégiste,
confondu avec un ancien roi d'Égypte, inventeur de toutes les sciences, dont il aurait
enfermé les secrets dans des livres mystérieux. — 4. N'aurait *pas dû* (latinisme).

des yeux. Sémire était à la campagne depuis trois jours.
Il apprit en chemin que cette belle dame, ayant déclaré
hautement qu'elle avait une aversion insurmontable pour
les borgnes, venait de se marier à Orcan la nuit même [1].
90 A cette nouvelle, il tomba sans connaissance; sa douleur
le mit au bord du tombeau; il fut longtemps malade; mais
enfin la raison l'emporta sur son affliction, et l'atrocité
de ce qu'il éprouvait servit même à le consoler.

« Puisque j'ai essuyé, dit-il, un si cruel caprice d'une
95 fille élevée à la cour, il faut que j'épouse une citoyenne [2]. »
Il choisit Azora [3], la plus sage et la mieux née de la ville;
il l'épousa et vécut un mois avec elle dans les douceurs
de l'union la plus tendre. Seulement il remarquait en elle
un peu de légèreté et beaucoup de penchant à trouver tou-
100 jours que les jeunes gens les mieux faits étaient ceux qui
avaient le plus d'esprit et de vertu.

CHAPITRE II

LE NEZ

Un jour [4] Azora revint d'une promenade tout en colère
et faisant de grandes exclamations. « Qu'avez-vous, lui
dit-il, ma chère épouse? qui [5] vous peut mettre ainsi hors
de vous-même? — Hélas! dit-elle, vous seriez comme moi
5 si vous aviez vu le spectacle dont je viens d'être témoin.
J'ai été consoler la jeune veuve Cosrou [6], qui vient d'élever,
depuis deux jours, un tombeau à son jeune époux auprès du
ruisseau qui borde cette prairie. Elle a promis aux dieux,
dans sa douleur, de demeurer auprès de ce tombeau tant
10 que l'eau de ce ruisseau coulerait auprès. — Eh bien! dit
Zadig, voilà une femme estimable qui aimait véritablement
son mari! — Ah! reprit Azora, si vous saviez à quoi elle

---

1. Lettre à Mme de Bernières, amie de Voltaire (16 octobre 1726) : « Je vous pardonne
d'avoir été à l'Opéra avec le chevalier de Rohan, pourvu que vous en ayez senti quelque
confusion. » — 2. Citadine, bourgeoise. — 3. *Zohra* est le nom arabe de Vénus. *Al-Zohra*
signifie littéralement « la brillante », et c'est un prénom arabe fort répandu encore de nos
jours. — 4. Voltaire renouvelle l'histoire si connue de la Matrone d'Éphèse (Pétrone,
Satiricon, chap. CXI), à l'aide d'un conte chinois qu'il avait lu dans Du Halde, et qui se
trouve résumé dans le *Sottisier* (cf. Ascoli, t. II, p. 18-22). Mais il se souvient aussi du conte
de La Fontaine qui porte le même titre, ainsi que de *la Jeune Veuve* (*Fables*, VI, 21).
— 5. Qu'est-ce *qui?* — 6. C'est un artifice littéraire fréquent au XVIIIe siècle que d'attribuer à une femme le nom d'un homme et inversement.

s'occupait quand je lui ai rendu visite! — A quoi donc, belle Azora? — Elle faisait détourner le ruisseau. » Azora
15 se répandit en des invectives si longues, éclata en reproches si violents contre la jeune veuve, que ce faste de vertu ne plut pas à Zadig.

Il avait un ami, nommé Cador [1], qui était un de ces jeunes gens à qui sa femme trouvait plus de probité et de mérite [2]
20 qu'aux autres : il le mit dans sa confidence et s'assura, autant qu'il le pouvait, de sa fidélité par un présent considérable. Azora, ayant passé deux jours chez une de ses amies à la campagne, revint le troisième jour à la maison. Des domestiques en pleurs lui annoncèrent que son mari était

---

1. *Cador :* altération de *Kaddour*, prénom masculin arabe qui signifie : le Tout-Puissant.
— 2. Voir la fin du chap. I.

● **L'art de Voltaire dans les chapitres I et II**

La composition

Voltaire ne retient que les épisodes principaux d'un roman d'amour et d'aventures qui eût pu être long; il laisse dans l'ombre ce sur quoi s'attardent les romans traditionnels.
① Montrer que les deux chapitres sont composés de manière à créer l'effet de surprise par lequel ils se terminent. Mais les situations sont-elles identiques?

Les personnages

② Les personnages sont-ils réels? sont-ils vrais? Pourquoi Voltaire, malgré certaines scènes pathétiques, se refuse-t-il à laisser passer un courant de sympathie entre les personnages et le lecteur?

Le style

③ Ces deux chapitres ne prennent toute leur saveur qu'à une lecture orale. Comment la syntaxe et le vocabulaire aident-ils la voix à prendre des inflexions féminines pour évoquer Sémire? Étudier, dans l'entretien de Cador et d'Azora (chap. II, l. 29-37), les rythmes propres à chaque personnage, l'ampleur croissante des phrases; que traduit la répétition de *et?*
④ Quels sont les éléments caractéristiques du roman? Quels sont ceux qui appartiennent au théâtre? au conte? A quel personnage de Molière fait penser le grand Hermès (p. 29, l. 74)? Comparer la scène qui met en présence Cador et Azora (p. 32) et *la Jeune Veuve* de La Fontaine (*Fables*, VI, 21).
⑤ Relever certains procédés de l'esprit de Voltaire : anachronismes, définitions piquantes ou inattendues, mots à double entente, renvois implicites d'un chapitre à l'autre, etc.

25 mort subitement la nuit même, qu'on n'avait pas osé lui
porter cette funeste nouvelle, et qu'on venait d'ensevelir
Zadig dans le tombeau de ses pères, au bout du jardin.
Elle pleura, s'arracha les cheveux, et jura de mourir. Le
soir, Cador lui demanda la permission de lui parler, et
30 ils pleurèrent tous deux. Le lendemain, ils pleurèrent moins,
et dînèrent ensemble. Cador lui confia que son ami lui avait
laissé la plus grande partie de son bien, et lui fit entendre
qu'il mettrait son bonheur à partager sa fortune avec elle.
La dame pleura, se fâcha, s'adoucit; le souper fut plus long
35 que le dîner; on se parla avec plus de confiance. Azora fit
l'éloge du défunt; mais elle avoua qu'il avait des défauts
dont Cador était exempt.

Au milieu du souper, Cador se plaignit d'un mal de rate
violent; la dame, inquiète et empressée, fit apporter toutes
40 les essences dont elle se parfumait, pour essayer s'il n'y en
avait pas quelqu'une qui fût bonne pour le mal de rate;
elle regretta beaucoup que le grand Hermès ne fût pas
encore à Babylone; elle daigna même toucher le côté où
Cador sentait de si vives douleurs. « Êtes-vous sujet à cette
45 cruelle maladie? lui dit-elle avec compassion. — Elle me
met quelquefois au bord du tombeau, lui répondit Cador,
et il n'y a qu'un seul remède qui puisse me soulager : c'est
de m'appliquer sur le côté le nez [1] d'un homme qui soit
mort la veille. — Voilà un étrange remède, dit Azora.
50 — Pas plus étrange, répondit-il, que les sachets du sieur
Arnoult [2] contre l'apoplexie. » Cette raison, jointe à
l'extrême mérite du jeune homme, détermina enfin la dame.
« Après tout, dit-elle, quand mon mari passera du monde
d'hier dans le monde du lendemain sur le pont Tchinavar [3],
55 l'ange Asraël [4] lui accordera-t-il moins le passage, parce
que son nez sera un peu moins long dans la seconde vie
que dans la première? » Elle prit donc un rasoir; elle alla
au tombeau de son époux, l'arrosa de ses larmes, et s'approcha pour couper le nez à Zadig, qu'elle trouva tout étendu
60 dans la tombe. Zadig se lève en tenant son nez d'une main
et arrêtant le rasoir de l'autre. « Madame, lui dit-il, ne

---

1. Il s'agissait de cervelle, dans le conte chinois. — 2. Inventeur d'un spécifique pour
lequel il faisait de la réclame dans diverses revues du XVIIIᵉ siècle. — 3. *Pont* devant lequel
avait lieu le jugement des âmes. Seuls, les bienheureux le passaient. — 4. *Ange* de la religion
musulmane, chargé de séparer les âmes des corps.

criez plus tant contre la jeune Cosrou; le projet de me couper le nez vaut bien celui de détourner un ruisseau. »

CHAPITRE III

LE CHIEN ET LE CHEVAL

Zadig éprouva que le premier mois du mariage, comme il est écrit dans le livre du *Zend*[1], est la lune de miel, et que le second est la lune de l'absinthe. Il fut quelque temps après obligé de répudier Azora qui était devenue trop
5 difficile à vivre, et il chercha son bonheur dans l'étude de la nature. « Rien n'est plus heureux, disait-il, qu'un philosophe qui lit dans ce grand livre que Dieu a mis sous nos yeux. Les vérités qu'il découvre sont à lui; il nourrit et il élève son âme; il vit tranquille, il ne craint rien des
10 hommes, et sa tendre épouse ne vient point lui couper le nez. »

---

1. Le *Zend* est le commentaire de l'*Avesta ;* voir p. 27, note 7.

● **Voltaire à travers les thèmes de la satire**

Les femmes
D'une part, une profonde misogynie qui s'exprime à travers le conte satirique; d'autre part, une idéalisation romanesque dans la veine de la tradition courtoise. Cette opposition n'a rien d'étonnant si l'on tient compte des relations féminines compliquées de Voltaire à cette époque : l'amoureux trompé est aussi un amoureux trompeur. Mais l'irritation présente s'alimente et grossit au souvenir de déboires plus anciens.
① Le thème de l'inconstance féminine à travers les personnages de Sémire, Azora, Missouf, la femme de l'Envieux. Quel est aussi le sentiment de Zadig à l'égard d'autres femmes, et en particulier d'Astarté?

La médecine et les médecins
Depuis sa terrible maladie de 1723, Voltaire est resté d'une santé fragile : il digère très mal, s'alimente de panades, et est « obligé de mourir de faim pour vivre », comme il le disait lui-même.

Autres thèmes
② Le thème de l'ingratitude dans *Zadig*.
③ Le préjugé nobiliaire dans *Zadig*.

Plein de ces idées, il se retira dans une maison de campagne sur les bords de l'Euphrate. Là il ne s'occupait pas
à calculer combien de pouces d'eau coulaient en une seconde
15 sous les arches d'un pont[1], ou s'il tombait une ligne[2] cube
de pluie dans le mois de la Souris plus que dans le mois
du Mouton[3]. Il n'imaginait point de faire de la soie avec
des toiles d'araignée, ni de la porcelaine avec des bouteilles
cassées[4], mais il étudia surtout les propriétés des animaux
20 et des plantes, et il acquit bientôt une sagacité qui lui découvrait mille différences où les autres hommes ne voient
rien que d'uniforme.

Un jour[5], se promenant auprès d'un petit bois, il vit
accourir à lui un eunuque de la reine, suivi de plusieurs
25 officiers qui paraissaient dans la plus grande inquiétude,
et qui couraient çà et là comme des hommes égarés, qui
cherchent ce qu'ils ont perdu de plus précieux. « Jeune
homme, lui dit le premier eunuque, n'avez-vous point vu le
chien de la reine? » Zadig répondit modestement : « C'est une
30 chienne, et non pas un chien. — Vous avez raison, reprit
le premier eunuque. — C'est une épagneule très petite,
ajouta Zadig. Elle a fait depuis peu des chiens; elle boite
du pied gauche de devant, et elle a les oreilles très longues.
— Vous l'avez donc vue? dit le premier eunuque tout
35 essoufflé. — Non, répondit Zadig, je ne l'ai jamais vue, et
je n'ai jamais su si la reine avait une chienne. »

Précisément dans le même temps, par une bizarrerie
ordinaire de la fortune, le plus beau cheval de l'écurie du roi
s'était échappé des mains d'un palefrenier dans les plaines
40 de Babylone. Le grand veneur et tous les autres officiers
couraient après lui avec autant d'inquiétude que le premier
eunuque après la chienne. Le grand veneur s'adressa à
Zadig et lui demanda s'il n'avait point vu passer le cheval
du roi. « C'est, répondit Zadig, le cheval qui galope le
45 mieux; il a cinq pieds de haut, le sabot fort petit; il porte

---

1. Allusion à un mémoire que Pitot remit à l'Académie des sciences en 1732 : *Description
d'une machine pour mesurer la vitesse des eaux courantes et le sillage des vaisseaux.* — 2.
Douzième partie du pouce, soit 2 mm et quart. — 3. Depuis le début du siècle, les *Mémoires*
de l'Académie des sciences donnaient le relevé systématique des observations météorolo-
giques de l'année. — 4. La soie et la porcelaine étaient importées de Chine et coûtaient
fort cher. Bon de Saint-Hilaire fabriqua de la soie artificielle avec des toiles d'araignée,
et Réaumur de la porcelaine avec du verre de bouteille. — 5. Voltaire adapte un conte oriental qu'il a trouvé dans d'Herbelot : cf. Ascoli, t. II, p. 31-33.

une queue de trois pieds et demi de long; les bossettes de
son mors sont d'or à vingt-trois carats; ses fers sont d'argent
à onze deniers [1]. — Quel chemin a-t-il pris? où est-il?
demanda le grand veneur. — Je ne l'ai point vu, répondit
50 Zadig, et je n'en ai jamais entendu parler. »

Le grand veneur et le premier eunuque ne doutèrent
pas que Zadig n'eût volé le cheval du roi et la chienne
de la reine; ils le firent conduire devant l'assemblée du
grand Desterham [2], qui le condamna au knout et à passer
55 le reste de ses jours en Sibérie [3]. A peine le jugement fut-il
rendu qu'on retrouva le cheval et la chienne. Les juges
furent dans la douloureuse nécessité de réformer leur arrêt;
mais ils condamnèrent Zadig à payer quatre cents onces
d'or [4] pour avoir dit qu'il n'avait point vu ce qu'il avait vu.
60 Il fallut d'abord payer cette amende; après quoi il fut permis à Zadig de plaider sa cause au conseil du grand Desterham; il parla en ces termes :

« Étoiles de justice, abîmes de science, miroirs de vérité,
qui avez la pesanteur du plomb, la dureté du fer, l'éclat
65 du diamant et beaucoup d'affinité avec l'or, puisqu'il m'est
permis de parler devant cette auguste assemblée, je vous
jure par Orosmade [5] que je n'ai jamais vu la chienne respectable de la reine, ni le cheval sacré du roi des rois [6].
Voici ce qui m'est arrivé. Je me promenais vers le petit bois,
70 où j'ai rencontré depuis le vénérable eunuque et le très
illustre grand veneur. J'ai vu sur le sable les traces d'un
animal, et j'ai jugé aisément que c'étaient celles d'un petit
chien. Des sillons légers et longs, imprimés sur de petites
éminences de sable, entre les traces des pattes, m'ont fait
75 connaître que c'était une chienne dont les mamelles étaient
pendantes, et qu'ainsi elle avait fait des petits il y a peu de
jours. D'autres traces en un sens différent, qui paraissaient
toujours avoir rasé la surface du sable à côté des pattes
de devant, m'ont appris qu'elle avait les oreilles très
80 longues; et, comme j'ai remarqué que le sable était tou-

---

1. De l'or et de l'argent presque purs.— 2. Faute de lecture pour *Defterdar*. *Defter* (selon
Rycaut) : « Celui qui tient le livre des comptes ». Voltaire a retenu le mot pour sa couleur
orientale, plus que pour sa précision. — 3. Autre fantaisie orientale. Depuis 1745, Voltaire
travaille à l'*Histoire de l'empire de Russie sous Pierre le Grand*. — 4. On peut estimer
l'amende au prix actuel de l'or et en sachant que l'once pesait 30,59 gr. — 5. Nom du
principe du bien dans la religion des mages, par opposition à Ahriman (voir p. 39,
l. 50) qui est le principe du mal. — 6. Nom que les Grecs donnaient au roi de Perse:
Basileus = le roi par excellence.

jours moins creusé par une patte que par les trois autres,
j'ai compris que la chienne de notre auguste reine était
un peu boiteuse, si je l'ose dire.

   » A l'égard du cheval du roi des rois, vous saurez que,
85 me promenant dans les routes de ce bois, j'ai aperçu les
marques des fers d'un cheval; elles étaient toutes à égales
distances. « Voilà, ai-je dit, un cheval qui a un galop
parfait. » La poussière des arbres, dans une route étroite
qui n'a que sept pieds de large, était un peu enlevée à droite
90 et à gauche, à trois pieds et demi du milieu de la route. « Ce
cheval, ai-je dit, a une queue de trois pieds et demi, qui,
par ses mouvements de droite et de gauche, a balayé cette
poussière. » J'ai vu sous les arbres, qui formaient un berceau de cinq pieds de haut, les feuilles des branches nouvel-
95 lement tombées, et j'ai connu que ce cheval y avait touché,
et qu'ainsi il avait cinq pieds de haut. Quant à son mors,
il doit être d'or à vingt-trois carats : car il en a frotté les
bossettes contre une pierre que j'ai reconnue être une pierre
de touche et dont j'ai fait l'essai. J'ai jugé enfin, par les

---

● **La science**
Manifestement, Voltaire se venge des savants qui, en 1743,
ne l'ont pas reçu à l'Académie des sciences.
① Que reproche-t-il aux recherches des savants qu'il raille?
Voltaire s'intéresse à la science : en sage qui trouve le repos dans
une studieuse retraite; en philosophe avide de connaître; en
croyant, qui voit dans l'infinie variété de l'univers l'œuvre et le
signe d'une Intelligence suprême.

● **La retraite et le monde**
Dans le monde, Voltaire gardait la nostalgie de la solitude, et,
dans la retraite, il recherchait le monde. Souvent, il ne s'est enfui
que pour éviter les méchants, mais les méchants et les envieux
l'ont atteint jusque dans sa retraite de Cirey.
Lettre à Thiériot du 12 août 1726, après l'affaire Rohan :
*Je n'ai plus ... qu'à finir ma vie dans l'obscurité d'une retraite qui
convient à ma façon de penser, à mes malheurs et à la connaissance
que j'ai des hommes.*
Lettre à Jore du 25 avril 1736, après la publication des *Lettres
philosophiques* :
*Pour moi, je suis si las de la méchanceté et de la perfidie des hommes,
que j'ai résolu de vivre désormais dans la retraite et d'oublier leurs
injustices et mes malheurs.*
② Étudier conjointement ces deux thèmes de la retraite et du
monde à travers les chapitres III et IV de *Zadig*, et à travers
Memnon.

100 marques que ses fers ont laissées sur des cailloux d'une
autre espèce, qu'il était ferré d'argent à onze deniers de fin. »
   Tous les juges admirèrent le profond et subtil discernement de Zadig; la nouvelle en vint jusqu'au roi et à la reine.
On ne parlait que de Zadig dans les antichambres, dans
105 la chambre et dans le cabinet, et, quoique plusieurs mages
opinassent qu'on devait le brûler comme sorcier, le roi
ordonna qu'on lui rendît l'amende des quatre cents onces
d'or à laquelle il avait été condamné. Le greffier, les huissiers, les procureurs, vinrent chez lui en grand appareil lui
110 rapporter ses quatre cents onces; ils en retinrent seulement
trois cent quatre-vingt-dix-huit pour les frais de justice,
et leurs valets demandèrent des honoraires[1].
   Zadig vit combien il était dangereux quelquefois d'être
trop savant, et se promit bien, à la première occasion, de
115 ne point dire ce qu'il avait vu.
   Cette occasion se trouva bientôt. Un prisonnier d'État
s'échappa; il passa sous les fenêtres de sa maison. On
interrogea Zadig, il ne répondit rien; mais on lui prouva
qu'il avait regardé par la fenêtre[2]. Il fut condamné pour
120 ce crime à cinq cents onces d'or, et il remercia ses juges
de leur indulgence, selon la coutume de Babylone. « Grand
Dieu! dit-il en lui-même, qu'on est à plaindre quand on se
promène dans un bois où la chienne de la reine et le
cheval du roi ont passé! qu'il est dangereux de se mettre
125 à la fenêtre! et qu'il est difficile d'être heureux dans cette
vie! »

CHAPITRE IV

L'ENVIEUX

   Zadig voulut se consoler par la philosophie et par
l'amitié des maux que lui avait faits la fortune. Il avait,
dans un faubourg de Babylone, une maison ornée avec
goût, où il rassemblait tous les arts et tous les plaisirs
5 dignes d'un honnête homme. Le matin, sa bibliothèque
était ouverte à tous les savants; le soir, sa table l'était à la

---

1. Voir le chapitre XV, p. 87, l. 59 et suiv. — 2. « La formalité qui semblait nous engager
le moins est justement celle qui nous perdra » (V.-L. Saulnier).

bonne compagnie; mais il connut bientôt combien les
savants sont dangereux. Il s'éleva une grande dispute [1] sur
une loi de Zoroastre qui défendait de manger du griffon [2].
10 « Comment défendre le griffon, disaient les uns, si cet
animal n'existe pas? — Il faut bien qu'il existe, disaient
les autres, puisque Zoroastre ne veut pas qu'on en mange. »
Zadig voulut les accorder, en leur disant : « S'il y a des
griffons, n'en mangeons point; s'il n'y en a point, nous
15 en mangerons encore moins, et par là nous obéirons tous
à Zoroastre. »

Un savant, qui avait composé treize volumes sur les
propriétés du griffon, [et qui de plus était grand théurgite [3],
se hâta d'aller accuser Zadig devant un archimage nommé
20 Yébor [4], le plus sot des Chaldéens, et partant le plus fanatique. Cet homme aurait fait empaler Zadig pour la plus
grande gloire du soleil, et en aurait récité le bréviaire de
Zoroastre d'un ton plus satisfait. L'ami Cador (un ami
vaut mieux que cent prêtres) alla trouver le vieux Yébor,
25 et lui dit : « Vivent le soleil et les griffons! gardez-vous bien
de punir Zadig : c'est un saint; il a des griffons dans sa
basse-cour, et il n'en mange point; et son accusateur est
un hérétique qui ose soutenir que les lapins [5] ont le pied
fendu et ne sont point immondes. — Eh bien! dit Yébor
30 en branlant sa tête chauve, il faut empaler Zadig pour avoir
mal pensé des griffons, et l'autre pour avoir mal parlé des
lapins. » Cador apaisa l'affaire par le moyen d'une fille
d'honneur à laquelle il avait fait un enfant et qui avait
beaucoup de crédit dans le collège des mages. Personne
35 ne fut empalé; de quoi plusieurs docteurs murmurèrent,
et en présagèrent la décadence de Babylone. Zadig s'écria :
« A quoi tient le bonheur! tout me persécute dans ce
monde, jusqu'aux êtres qui n'existent pas. » Il maudit les
savants, et ne voulut plus vivre qu'en bonne compagnie.]

---

1. Débat, discussion. — 2. La loi mosaïque interdit de manger du *griffon* (*Deutéronome*
XIV, 12-13) : il s'agit d'une variété de vautours. Mais Voltaire — par erreur plutôt qu'à
dessein — le prend pour un animal fabuleux au corps de lion, à la tête et aux ailes d'aigle.
Ajoutons que les Parsi croient à la métempsychose et sont végétariens; pour ne pas souiller
les éléments primordiaux de la nature, ils n'enterrent pas leurs morts, mais les exposent
sur les *tours du silence* où les vautours viennent les dévorer : deux raisons majeures pour
eux de ne pas manger de griffons. — 3. Entendre : *grand* théologien. — 4. Anagramme de
Boyer, évêque de Mirepoix. Tout le paragraphe consacré à *Yébor* est une addition de 1751.
— 5. Les lièvres sont considérés comme des animaux immondes par la Bible (*Deutéronome*,
XIV, 7).

40   Il rassemblait chez lui les plus honnêtes gens de Babylone
et les dames les plus aimables; il donnait des soupers déli-
cats, souvent précédés de concerts, et animés par des
conversations charmantes dont il avait su bannir l'empres-
sement de montrer de l'esprit, qui est la plus sûre manière
45 de n'en point avoir et de gâter la société la plus brillante.
Ni le choix de ses amis ni celui des mets n'étaient faits par
la vanité : car en tout il préférait l'être au paraître; et par là
il s'attirait la considération véritable, à laquelle il ne prétendait pas.

50   Vis-à-vis sa maison demeurait Arimaze [1], personnage
dont la méchante âme était peinte sur sa grossière physionomie. Il était rongé de fiel et bouffi d'orgueil, et, pour
comble, c'était un bel esprit ennuyeux. N'ayant jamais pu
réussir dans le monde, il se vengeait par en médire. Tout
55 riche qu'il était, il avait de la peine à rassembler chez lui
des flatteurs. Le bruit des chars qui entraient le soir chez
Zadig l'importunait, le bruit de ses louanges l'irritait
davantage. Il allait quelquefois chez Zadig, et se mettait
à table sans être prié : il y corrompait toute la joie de la
60 société, comme on dit que les harpies [2] infectent les viandes [3]
qu'elles touchent. Il lui arriva un jour de vouloir donner
une fête à une dame qui, au lieu de la recevoir, alla souper
chez Zadig. Un autre jour, causant avec lui dans le palais,
ils abordèrent un ministre qui pria Zadig à souper, et ne
65 pria point Arimaze. Les plus implacables haines n'ont
pas souvent des fondements plus importants. Cet homme,
qu'on appelait l'Envieux dans Babylone, voulut perdre
Zadig parce qu'on l'appelait l'Heureux. L'occasion de faire
du mal se trouve cent fois par jour, et celle de faire du bien
70 une fois dans l'année, comme dit Zoroastre.

L'Envieux alla chez Zadig, qui se promenait dans ses
jardins avec deux amis et une dame à laquelle il disait souvent des choses galantes, sans autre intention que celle de
les dire. La conversation roulait sur une guerre que le roi
75 venait de terminer heureusement contre le prince d'Hyrcanie [4], son vassal. Zadig, qui avait signalé son courage

---

1. Nom composé à partir de *Ahriman*, le principe du mal (voir p. 35, note 5).
— 2. Monstres fabuleux : « Les harpies... venaient manger tous les mets qu'on servait
sur la table du roi de Thrace Phinée et infectaient toute la maison » (Voltaire). — 3. Ali-
ments, mets. — 4. Il se soulèvera contre Moabdar : voir les chapitres XIV, p. 84,
et XVI, p. 92-93.

dans cette courte guerre, louait beaucoup le roi, et encore
plus la dame. Il prit ses tablettes, et écrivit quatre vers
qu'il fit sur-le-champ et qu'il donna à lire à cette belle per-
80 sonne. Ses amis le prièrent de leur en faire part; la modestie,
ou plutôt un amour-propre bien entendu, l'en empêcha.
Il savait que des vers impromptus ne sont jamais bons que
pour celle en l'honneur de qui ils sont faits : il brisa en deux
la feuille des tablettes sur laquelle il venait d'écrire, et jeta
85 les deux moitiés dans un buisson de roses où on les chercha
inutilement. Une petite pluie survint; on regagna la maison.
L'Envieux, qui resta dans le jardin, chercha tant qu'il
trouva un morceau de la feuille. Elle avait été tellement
rompue[1] que chaque moitié de vers qui remplissait la
90 ligne faisait un sens, et même un vers d'une plus petite
mesure; mais, par un hasard encore plus étrange, ces petits

1. *Rompue* de telle sorte que... Cette anecdote a pu être suggérée à Voltaire par un épisode du *Gulistan*. Mais une aventure de ce genre était arrivée à un avocat français qui fut
emprisonné pour une coquille.

● **Le fanatisme : Yébor** (l. 17-39)

Boyer avait protesté contre les *Lettres philosophiques* et
le Mondain de Voltaire, et on peut admettre que son point de
vue était défendable. Voltaire essaya de l'apaiser : « Je n'ai pas
écrit une page qui ne respire l'humanité et j'en ai écrit beaucoup
qui sont sanctifiées par la religion » (lettre de février 1743).
Boyer ne se laissa pas convaincre, et il créa des difficultés à
Voltaire au moment où celui-ci cherchait à retrouver la faveur
de la Cour et à entrer à l'Académie Française. Boyer est,
pour Voltaire, le type même du fanatique.
« L'imagination de Voltaire a un côté morbide. Il voit — irrésis-
tiblement — dans le prêtre, *l'homme noir*, méchant, et, à la limite,
sanguinaire. Le thème, frénétique et absurde, du prêtre au
poignard se retrouve d'un bout à l'autre de son œuvre. Voltaire
a un sens maladif du fanatisme, comme Flaubert du grotesque
triste » (R. Pomeau, *Voltaire*, p. 39).
① Montrer comment Voltaire a créé Yébor à partir de l'image
opposée à celle que nous nous faisons ordinairement du prêtre.

● **Les envieux** (l. 50 et suiv.)

Voltaire n'a certainement pas oublié l'abbé Desfontaines,
contre lequel il écrivit la comédie *l'Envieux*. Mais il est vraisemblable qu'il s'en prend à la foule de ceux qui lui portaient
envie, et plus particulièrement au poète Roi.
② A quels détails précis devine-t-on, derrière le personnage
d'Arimaze (p. 39, l. 50), un ennemi personnel de Voltaire?

vers se trouvaient former un sens qui contenait les injures
les plus horribles contre le roi. On y lisait :

> *Par les plus grands forfaits*
> *Sur le trône affermi,*
> *Dans la publique paix*
> *C'est le seul ennemi.*

L'Envieux fut heureux pour la première fois de sa vie.
95 Il avait entre les mains de quoi perdre un homme vertueux
et aimable. Plein de cette cruelle joie, il fit parvenir jusqu'au
roi cette satire écrite de la main de Zadig : on le fit mettre
en prison, lui, ses deux amis et la dame. Son procès lui fut
bientôt fait, sans qu'on daignât l'entendre. Lorsqu'il vint
100 recevoir sa sentence, l'Envieux se trouva sur son passage,
et lui dit tout haut que ses vers ne valaient rien. Zadig ne
se piquait pas d'être bon poète ; mais il était au désespoir
d'être condamné comme criminel de lèse-majesté et de
voir qu'on retînt en prison une belle dame et deux amis
105 pour un crime qu'il n'avait pas fait. On ne lui permit pas
de parler, parce que ses tablettes parlaient. Telle était la loi
de Babylone. On le fit donc aller au supplice à travers une
foule de curieux dont aucun n'osait le plaindre, et qui se
précipitaient pour examiner son visage et pour voir s'il
110 mourrait avec bonne grâce. Ses parents seulement étaient
affligés, car ils n'héritaient pas. Les trois quarts de son bien
étaient confisqués au profit du roi, et l'autre quart au profit
de l'Envieux.

Dans le temps qu'il se préparait à la mort, le perroquet
115 du roi s'envola de son balcon, et s'abattit dans le jardin
de Zadig sur un buisson de roses. Une pêche y avait été
portée d'un arbre voisin par le vent : elle était tombée sur
un morceau de tablette à écrire auquel elle s'était collée.
L'oiseau enleva la pêche et la tablette, et les porta sur les
120 genoux du monarque. Le prince, curieux, y lut des mots
qui ne formaient aucun sens, et qui paraissaient des fins
de vers. Il aimait la poésie, [et il y a toujours de la ressource
avec les princes qui aiment les vers[1] :] l'aventure de son
perroquet le fit rêver. La reine, qui se souvenait de ce qui
125 avait été écrit sur une pièce de la tablette de Zadig, se la fit

---

1. Addition de 1751, qui est une flatterie à l'adresse de Frédéric II.

Hammourabi devant Shamash
« Le roi ordonna aussitôt qu'on fît venir
Zadig devant lui » (p. 43, l. 129)

apporter. On confronta les deux morceaux, qui s'ajustaient ensemble parfaitement; on lut alors les vers tels que Zadig les avait faits :

Par les plus grands forfaits j'ai vu troubler la terre.
Sur le trône affermi, le roi sait tout dompter.
Dans la publique paix l'amour seul fait la guerre :
C'est le seul ennemi qui soit à redouter.

Le roi ordonna aussitôt qu'on fît venir Zadig devant lui,
130 et qu'on fît sortir de prison ses deux amis et la belle dame. Zadig se jeta le visage contre terre aux pieds du roi et de la reine : il leur demanda très humblement pardon d'avoir fait de mauvais vers; il parla avec tant de grâce, d'esprit et de raison, que le roi et la reine voulurent le revoir. Il
135 revint, et plut encore davantage. On lui donna tous les biens de l'Envieux qui l'avait injustement accusé; mais Zadig les rendit tous, et l'Envieux ne fut touché que du plai-

---

● **Tragédie? Fatalisme? Providence?**

   A mesure que Zadig découvre plus clairement les conditions du bonheur, le destin — bon pédagogue — redouble d'efforts contre lui.
   ① Établir le bilan des diverses tentatives de Zadig pour trouver le bonheur : quels obstacles a-t-il rencontrés? quels revers a-t-il essuyés? quelles leçons a-t-il tirées? Bien qu'une force mysté-rieuse poursuive Zadig, pourquoi ne peut-on pas parler ni de tragédie, ni de fatalisme?

● **Un réalisme merveilleux**

   Le conte traditionnel est, par essence, merveilleux : il n'atteint sa pleine efficacité que si le lecteur abandonne le monde dans lequel il vit, pour entrer dans un autre univers où l'incroyable est naturel. Or l'ironie voltairienne est un dissolvant du mer-veilleux. Si Voltaire multiplie les invraisemblances, ce n'est pas pour procurer au lecteur un moment d'évasion, ni parce qu'il cède lui-même à l'entraînement d'une fantaisie parodique. Voltaire respecte le conte en tant que genre, mais en détruit la finalité habituelle. Loin de nous entraîner hors de la réalité, le conte voltairien nous oblige à la regarder de plus près : la perspective est changée. Ce n'est pas l'incroyable qui est donné pour vrai, mais le vrai qui apparaît incroyable.
   ② Vous montrerez comment, par le conte, s'exprime la vision que Voltaire a du monde, et vous confirmerez l'idée par ce que vous savez de sa philosophie de l'histoire.

sir de ne pas perdre son bien. L'estime du roi s'accrut de
jour en jour pour Zadig. Il le mettait de tous ses plaisirs
140 et le consultait dans toutes ses affaires. [La reine le regarda
dès lors avec une complaisance qui pouvait devenir dange-
reuse pour elle, pour le roi son auguste époux, pour Zadig
et pour le royaume. Zadig commençait à croire qu'il n'est
pas difficile d'être heureux [1].]

CHAPITRE V

LES GÉNÉREUX

Le temps arriva où l'on célébrait une grande fête qui
revenait tous les cinq ans. C'était la coutume à Babylone
de déclarer solennellement, au bout de cinq années, celui
des citoyens qui avait fait l'action la plus généreuse. Les
5 grands et les mages étaient les juges. Le premier satrape [2],
chargé du soin de la ville, exposait les plus belles actions
qui s'étaient passées sous son gouvernement. On allait aux
voix; le roi prononçait le jugement. On venait à cette solen-
nité des extrémités de la terre. Le vainqueur recevait des
10 mains du monarque une coupe d'or garnie de pierreries,
et le roi lui disait ces paroles : « Recevez ce prix de la générosité, et puissent les dieux me donner beaucoup de sujets
qui vous ressemblent! »
Ce jour mémorable venu, le roi parut sur son trône,
15 environné des grands, des mages, et des députés de toutes
les nations qui venaient à ces jeux, où la gloire s'acquérait
non par la légèreté des chevaux, non par la force du corps,
mais par la vertu [3]. Le premier satrape rapporta à haute
voix les actions qui pouvaient mériter à leurs auteurs ce
20 prix inestimable. Il ne parla point de la grandeur d'âme
avec laquelle Zadig avait rendu à l'Envieux toute sa fortune:
ce n'était pas une action qui méritât de disputer le prix.

---

1. Addition à la seconde édition de *Zadig* en 1748. — 2. Gouverneur de province chez
les anciens Perses. — 3. Cette fête périodique rappelle les jeux olympiques des Grecs et
les tournois du Moyen Age européen.

Il présenta d'abord un juge[1] qui, ayant fait perdre un procès considérable à un citoyen par une méprise dont
25 il n'était pas même responsable, lui avait donné tout son bien, qui était la valeur de ce que l'autre avait perdu.

Il produisit ensuite un jeune homme qui, étant éperdument épris d'une fille qu'il allait épouser, l'avait cédée à un ami près d'expirer d'amour pour elle, et qui avait
30 encore payé la dot en cédant la fille[2].

Ensuite il fit paraître un soldat qui, dans la guerre d'Hyrcanie, avait donné encore un plus grand exemple de générosité. Des soldats ennemis lui enlevaient sa maîtresse, et il la défendait contre eux; on vint lui dire que
35 d'autres Hyrcaniens enlevaient sa mère à quelques pas de là : il quitta en pleurant sa maîtresse, et courut délivrer sa mère; il retourna ensuite vers celle qu'il aimait, et la trouva expirante. Il voulut se tuer : sa mère lui remontra qu'elle n'avait que lui pour tout secours, et il eut le courage
40 de souffrir la vie[3].

Les juges penchaient pour ce soldat. Le roi prit la parole, et dit : « Son action et celle des autres sont belles,

---

1. La Chaussée avait mis en scène, dans *la Gouvernante* (1747), l'histoire du juge Chamillart qui s'était ruiné pour réparer une erreur judiciaire qu'il commit en 1699 (cf. Saint-Simon, VI, p. 311-312). — 2. Plusieurs pièces, au xviie et au xviiie siècle, traitent le thème de l'amour aux prises avec l'amitié; cf. Ascoli, t. II, p. 49-51. Voltaire lui-même l'avait utilisé dans sa tragédie, *Adélaïde Duguesclin*. — 3. Il n'y a pas de source précise, peut-être Voltaire a-t-il voulu imaginer une situation plus sublime que celles des tragédies de Corneille.

● **Le juste devant le monde**

Jusqu'ici, Zadig était le seul juste en face d'un monde cruel et insensé. Un tel déséquilibre, s'il était maintenu, révélerait une conception du monde désespérément pessimiste. Que signifierait la vertu, si le juste n'était que l'exception dans un monde radicalement pervers? Une voie, en revanche, s'ouvre à l'espoir, s'il existe assez d'hommes vertueux pour contrebalancer la multitude des méchants, et s'ils sont assez efficaces pour les empêcher de nuire. Aussi Zadig quittera-t-il bientôt sa vie de simple particulier pour accepter les responsabilités politiques que lui confiera Moabdar.

① Qu'étaient, dans les quatre premiers chapitres, et que sont devenus dans celui-ci les juges, les prêtres, les nobles, les fiancés? La brièveté du chapitre V n'est-elle pas compensée par le thème de la fête? Qu'exprime cette idée d'une grande fête?

② Voltaire écrivait à Vauvenargues : « Le grand, le pathétique, le sentiment, voilà mes premiers maîtres. » Vérifier cette affirmation en commentant ce chapitre.

mais elles ne m'étonnent point; hier Zadig en a fait une
qui m'a étonné. J'avais disgracié depuis quelques jours
45 mon ministre et mon favori Coreb[1]. Je me plaignais de
lui avec violence, et tous mes courtisans m'assuraient que
j'étais trop doux; c'était à qui me dirait le plus de mal de
Coreb. Je demandai à Zadig ce qu'il en pensait, et il osa
en dire du bien. J'avoue que j'ai vu, dans nos histoires,
50 des exemples qu'on a payé de son bien une erreur, qu'on
a cédé sa maîtresse, qu'on a préféré une mère à l'objet de
son amour; mais je n'ai jamais lu qu'un courtisan ait parlé
avantageusement d'un ministre disgracié contre qui son
souverain était en colère. Je donne vingt mille pièces d'or
55 à chacun de ceux dont on vient de réciter[2] les actions géné-
reuses; mais je donne la coupe à Zadig.

— Sire, lui dit-il, c'est Votre Majesté seule qui mérite
la coupe, c'est elle qui a fait l'action la plus inouïe, puisque,
étant roi, vous ne vous êtes point fâché contre votre
60 esclave, lorsqu'il contredisait votre passion. »

On admira le roi[3] et Zadig. Le juge qui avait donné son
bien, l'amant qui avait marié sa maîtresse à son ami, le
soldat qui avait préféré le salut de sa mère à celui de sa
maîtresse, reçurent les présents du monarque; ils virent
65 leurs noms écrits dans le livre des généreux : Zadig eut
la coupe. Le roi acquit la réputation d'un bon prince, qu'il
ne garda pas longtemps. Ce jour fut consacré par des fêtes
plus longues que la loi ne le portait. La mémoire s'en
conserve encore dans l'Asie. [Zadig disait : « Je suis donc
70 enfin heureux! » Mais il se trompait[4].]

CHAPITRE VI

LE MINISTRE

[Le roi avait perdu son premier ministre. Il choisit
Zadig pour remplir cette place. Toutes les belles dames de
Babylone applaudirent à ce choix, car depuis la fondation

---

1. *Coreb* proviendrait d'une racine sémitique signifiant « être proche », sens qui convient parfaitement à un favori, un ministre. — 2. Lire à haute voix, proclamer. — 3. « Depuis Fénelon, c'était un lieu commun de la morale politique que l'éloge du bon prince qui sait choisir et écouter les ministres vertueux » (Ascoli). — 4. Addition de 1748.

de l'empire il n'y avait jamais eu de ministre si jeune.
5 Tous les courtisans furent fâchés; l'Envieux en eut un
crachement de sang, et le nez lui enfla prodigieusement.
Zadig, ayant remercié le roi et la reine, alla remercier aussi
le perroquet [1]. « Bel oiseau, lui dit-il, c'est vous qui m'avez
sauvé la vie, et qui m'avez fait premier ministre: la chienne
10 et le cheval de Leurs Majestés m'avaient fait beaucoup de
mal, mais vous m'avez fait du bien. Voilà donc de quoi
dépendent les destins des hommes! Mais, ajouta-t-il, un
bonheur si étrange sera peut-être bientôt évanoui. » Le
perroquet répondit : « Oui. » Ce mot frappa Zadig; cepen-
15 dant, comme il était bon physicien [2] et qu'il ne croyait pas
que les perroquets fussent prophètes, il se rassura bientôt,
et se mit à exercer son ministère de son mieux.

Il fit sentir à tout le monde le pouvoir sacré des lois,
et ne fit sentir à personne le poids de sa dignité. Il ne gêna
20 point les voix du divan [3], et chaque vizir pouvait avoir un
avis sans lui déplaire. Quand il jugeait une affaire, ce n'était
pas lui qui jugeait, c'était la loi; mais, quand elle était trop
sévère, il la tempérait, et, quand on manquait de lois, son
équité en faisait qu'on aurait prises pour celles de
25 Zoroastre [4].]

C'est de lui que les nations tiennent ce grand principe :
qu'il vaut mieux hasarder de sauver un coupable que de
condamner un innocent. Il croyait que les lois étaient
faites pour secourir les citoyens autant que pour les inti-
30 mider. Son principal talent était de démêler la vérité, que
tous les hommes cherchent à obscurcir.

Dès les premiers jours de son administration, il mit ce
grand talent en usage. Un fameux négociant de Babylone
était mort aux Indes; il avait fait ses héritiers ses deux fils
35 par portions égales, après avoir marié leur sœur, et il laissait un présent de trente mille pièces d'or à celui de ses
deux fils qui serait jugé l'aimer davantage. L'aîné lui
bâtit un tombeau, le second augmenta d'une partie de son
héritage la dot de sa sœur; chacun disait : « C'est l'aîné
40 qui aime le mieux son père; le cadet aime mieux sa sœur;

---

1. Voir p. 41, l. 114 et suiv. — 2. Naturaliste. — 3. Conseil des ministres présidé par
le roi ou par le premier vizir. Le *vizir* est un ministre ou un conseiller d'État. — 4. Ces
deux premiers paragraphes ont été écrits en 1756.

c'est à l'aîné qu'appartiennent les trente mille pièces. »
Zadig les fit venir tous deux l'un après l'autre. Il dit
à l'aîné : « Votre père n'est point mort, il est guéri de sa
dernière maladie, il revient à Babylone. — Dieu soit loué,
[45] répondit le jeune homme; mais voilà un tombeau qui m'a
coûté bien cher! » Zadig dit ensuite la même chose au cadet.
« Dieu soit loué, répondit-il, je vais rendre à mon père
tout ce que j'ai; mais je voudrais qu'il laissât à ma sœur
ce que je lui ai donné. — Vous ne rendrez rien, dit Zadig,
[50] et vous aurez les trente mille pièces : c'est vous qui aimez
le mieux votre père. »

Une fille fort riche [1] avait fait une promesse de mariage
à deux mages, et, après avoir reçu quelques mois des
instructions de l'un et de l'autre, elle se trouva grosse.
[55] Ils voulaient tous deux l'épouser. « Je prendrai pour mon
mari, dit-elle, celui des deux qui m'a mise en état de
donner un citoyen à l'empire. — C'est moi qui ai fait cette
bonne œuvre, dit l'un. — C'est moi qui ai eu cet avantage,
dit l'autre. — Eh bien! répondit-elle, je reconnais pour
[60] père de l'enfant celui des deux qui lui pourra donner la
meilleure éducation. » Elle accoucha d'un fils. Chacun des
mages veut l'élever. La cause est portée devant Zadig.
Il fait venir les deux mages. « Qu'enseigneras-tu à ton
pupille? dit-il au premier. — Je lui apprendrai, dit le doc-
[65] teur, les huit parties d'oraison [2], la dialectique [3], l'astrologie, la démonomanie [4], ce que c'est que la substance [5]
et l'accident, l'abstrait et le concret, les monades [6] et l'harmonie préétablie [7]. — Moi, dit le second, je tâcherai de
le rendre juste et digne d'avoir des amis. » Zadig pro-
[70] nonça : « Que tu sois son père ou non, tu épouseras sa
mère. »

Il venait tous les jours [8] des plaintes à la cour contre
l'itimadoulet [9] de Médie, nommé Irax [10]. C'était un grand
seigneur dont le fond n'était pas mauvais, mais qui était

1. Anecdote ajoutée en 1748. — 2. La grammaire théorique (*oratio* = la phrase, le discours). — 3. L'art de discuter. — 4. Traité sur les démons et la possession du démon. —
5. La *substance* est le fond permanent des choses, alors que l'*accident* est ce qui les affecte
sans faire varier leur nature profonde. — 6. Unité primordiale, matérielle ou spirituelle,
chez Leibniz. — 7. Selon Leibniz, l'âme et le corps se développent parallèlement selon un
rapport réciproque préréglé. — 8. Cette anecdote a été supprimée par Voltaire en 1756. —
9. Nom du grand vizir dans la Perse moderne, par lequel Voltaire désigne un satrape ou
gouverneur de province. — 10. Le colérique (lat. *ira* = la colère)? Plus vraisemblablement,
altération de *Irus* : cf. premier *Discours en vers sur l'homme*.

[75] corrompu par la vanité et la volupté. Il souffrait rarement
qu'on lui parlât, et jamais qu'on l'osât contredire. Les
paons ne sont pas plus vains, les colombes ne sont pas
plus voluptueuses, les tortues ont moins de paresse; il ne
respirait que la fausse gloire et les faux plaisirs : Zadig
[80] entreprit de le corriger.

Il lui envoya de la part du roi un maître de musique avec
douze voix et vingt-quatre violons [1], un maître d'hôtel
avec six cuisiniers et quatre chambellans [2], qui ne devaient
pas le quitter. L'ordre du roi portait que l'étiquette sui-
[85] vante serait inviolablement observée; et voici comme les
choses se passèrent.

Le premier jour, dès que le voluptueux Irax fut éveillé,
le maître de musique entra, suivi des voix et des violons;

---

1. Chanteurs : anachronisme voulu. — 2. « Officier chargé de tout ce qui concerne le
service intérieur de la chambre d'un prince » (Larousse).

● **Composition des chapitres VI et VII**

L'ancien chapitre VI, intitulé *les Jugements*, fut dédoublé en 1756.
Du chapitre primitif, *le Ministre* reprend toutes les anecdotes,
tandis que *les Disputes et les Audiences*, l'actuel chapitre VII, ne
conserve que la conclusion. Un tel remaniement s'explique pour
des raisons d'équilibre artistique comme aussi par l'évolution
de la pensée de Voltaire. En effet, l'introduction du paragraphe
sur Yébor, au chapitre IV, rendait nécessaire un développement
sur le fanatisme qui s'ajoutât à celui que Voltaire consacre à la
justice. D'autre part, le sentiment de persécution que Voltaire
éprouvait depuis l'emprisonnement de Francfort (cf. p. 7), les
nouvelles difficultés qu'il rencontrait à Genève de la part des
autorités religieuses et politiques de la ville, les études histo-
riques en vue de l'*Essai sur les mœurs*, avaient rendu plus vive
encore sa réaction contre toute forme d'oppression et bientôt
elle se concentrera autour du thème de l'intolérance frénétique
dont les composantes sont diverses (religieuses, politiques,
personnelles, etc.).

● **« Zadig » ou l'anti-Versailles**

① Commenter : « La cour de Moabdar, c'est la caricature de
celle de Louis XV, le Bien-Aimé. [...] Comment ne pas voir que
ce que Voltaire exhale ici, c'est sa déception de n'avoir pas su
réussir à la cour de Versailles, où il parade depuis 1744? *Zadig :*
la liquidation de son expérience à la cour de France » (V. L.
Saulnier).

on chanta une cantate [1] qui dura deux heures, et de trois
90 minutes en trois minutes le refrain était :

> *Que son mérite est extrême!*
> *Que de grâces! que de grandeur!*
> *Ah! combien Monseigneur*
> *Doit être content de lui-même!*

Après l'exécution de la cantate, un chambellan lui fit
une harangue de trois quarts d'heure, dans laquelle on le
louait expressément de toutes les bonnes qualités qui lui
manquaient. La harangue finie, on le conduisit à table au
95 son des instruments. Le dîner dura trois heures; dès qu'il
ouvrit la bouche pour parler, le premier chambellan dit :
« Il aura raison. » A peine eut-il prononcé quatre paroles
que le second chambellan s'écria : « Il a raison! » Les deux
autres chambellans firent de grands éclats de rire des bons
100 mots qu'Irax avait dits ou qu'il avait dû [2] dire. Après dîner
on lui répéta la cantate.

Cette première journée lui parut délicieuse, il crut que
le roi des rois l'honorait selon ses mérites; la seconde lui
parut moins agréable, la troisième fut gênante, la qua-
105 trième fut insupportable, la cinquième fut un supplice :
enfin, outré d'entendre toujours chanter :

> *Ah! combien Monseigneur*
> *Doit être content de lui-même!*

d'entendre toujours dire qu'il avait raison, et d'être haran-
gué chaque jour à la même heure, il écrivit en cour pour
supplier le roi qu'il daignât rappeler ses chambellans, ses
110 musiciens, son maître d'hôtel; il promit d'être désormais
moins vain et plus appliqué; il se fit moins encenser, eut
moins de fêtes, et fut plus heureux : car, comme dit Sadder,
« toujours du plaisir n'est pas du plaisir ».

---

1. Poésie faite pour être chantée. — 2. Aurait dû.

CHAPITRE VII

LES DISPUTES ET LES AUDIENCES

C'est ainsi qu'il montrait tous les jours la subtilité de son génie et la bonté de son âme; on l'admirait, et cependant on l'aimait [1]. Il passait pour le plus fortuné de tous les hommes; tout l'empire était rempli de son nom; toutes
[5] les femmes le lorgnaient [2]; tous les citoyens célébraient sa justice; les savants le regardaient comme leur oracle; les prêtres mêmes avouaient qu'il en savait plus que le vieux archimage Yébor. On était bien loin alors de lui faire des procès sur les griffons; on ne croyait que ce qui lui semblait
[10] croyable.

Il y avait une grande querelle dans Babylone, qui durait depuis quinze cents années, et qui partageait l'empire en deux sectes opiniâtres [3] : l'une prétendait qu'il ne fallait jamais entrer dans le temple de Mithra [4] que du pied
[15] gauche; l'autre avait cette coutume en abomination, et n'entrait jamais que du pied droit. On attendait le jour de la fête solennelle du feu sacré pour savoir quelle secte serait favorisée par Zadig. L'univers avait les yeux sur ses deux pieds, et toute la ville était en agitation et en suspens.
[20] Zadig entra dans le temple en sautant à pieds joints, et il prouva ensuite, par un discours éloquent, que le Dieu du ciel et de la terre, qui n'a acception de [5] personne, ne fait pas plus de cas de la jambe gauche que de la jambe droite [6].

L'Envieux et sa femme prétendirent que dans son dis-
[25] cours il n'y avait pas assez de figures, qu'il n'avait pas fait assez danser les montagnes et les collines. « Il est sec et sans génie, disaient-ils : on ne voit chez lui ni la mer s'enfuir, ni les étoiles tomber, ni le soleil se fondre comme de la cire; il n'a point le bon style oriental. » Zadig se

---

1. Comparer avec le sentiment de l'amour dans les œuvres de Corneille. — 2. « Elle le regarda du coin de l'œil, ce qui, plusieurs siècles plus tard, s'est appelé *lorgner* » (Voltaire, *la Princesse de Babylone*). — 3. Cf. la querelle des hauts et des bas talons, ou la dispute entre les gros et les « petits-boutiens », dans *les Voyages de Gulliver* (chapitre IV). — 4. Les Mages « révéraient dans le feu qui donne la vie à la nature l'emblème de la divinité » (Voltaire). *Mithra* représente le feu sacré et le soleil. — 5. De préférence pour. — 6. Comparer avec la « Prière à Dieu » du *Traité de la tolérance*.

[30] contentait d'avoir le style de la raison [1]. Tout le monde fut pour lui, non pas parce qu'il était dans le bon chemin, non pas parce qu'il était raisonnable, non pas parce qu'il était aimable, mais parce qu'il était premier vizir.

[35] Il termina aussi heureusement le grand procès entre les mages blancs et les mages noirs. Les blancs soutenaient que c'était une impiété de se tourner, en priant Dieu, vers l'orient d'hiver; les noirs assuraient que Dieu avait en horreur les prières des hommes qui se tournaient vers le couchant d'été. Zadig ordonna qu'on se tournât comme [40] on voudrait.

_____

1. Un style naturel.

_____

● **Les religions établies et la religion de Voltaire**

« Voltaire expulse le sacré de l'histoire comme des choses. C'est à ce niveau que son œuvre est profondément révolutionnaire, libérant l'activité humaine du ritualisme qui l'engonce. L'ironie dissipe le prestige du rite mystiquement efficace; les gestes saints deviennent des gestes d'hommes, comme les autres » (R. Pomeau, _la Religion de Voltaire_, p. 381).
① Commenter cette opinion en précisant, à l'aide d'autres passages de _Zadig_, comment et pourquoi la religion de Voltaire s'oppose aux autres religions existantes.

● **Le goût de Voltaire**

« Nous supprimons toutes les amplifications orientales, et toutes ces figures gigantesques, incohérentes et fausses, si familières à tous ces peuples, chez lesquels il n'y a peut-être jamais eu que l'auteur des fables attribuées à Ésope qui ait écrit naturellement » (Voltaire, _Essai sur les mœurs_).
L'étroitesse du goût de Voltaire dépend elle-même de l'idéal étroit qu'il se faisait de la civilisation, réalisé selon lui en partie au XVIIe siècle, et qui l'empêchait d'apprécier particulièrement les formes de l'art primitif dont la force barbare l'effrayait.
② Quels rapprochements peut-on faire entre d'une part l'urbanisme, l'architecture, la musique, le théâtre, tels qu'ils sont décrits dans _Zadig_, et d'autre part les goûts littéraires et le style de Voltaire?

● **La politique**

L'action de Zadig a pour but de mettre fin aux abus décrits dans les quatre premiers chapitres.
③ Quelles sont les réformes précises apportées par Zadig? Peut-on parler d'un programme politique au sens où nous l'entendons de nos jours? Quels motifs, communs à Voltaire et à Zadig, peut-on trouver à l'origine de cette action politique?
Lecture conseillée : R. Pomeau, _la Politique de Voltaire_.

Il trouva ainsi le secret d'expédier, le matin, les affaires particulières et les générales [1]; le reste du jour il s'occupait des embellissements de Babylone : il faisait représenter des tragédies où l'on pleurait, et des comédies où l'on riait; 45 ce qui était passé de mode depuis longtemps [2], et ce qu'il fit renaître parce qu'il avait du goût. Il ne prétendait pas en savoir plus que les artistes; il les récompensait par des bienfaits et des distinctions, et n'était point jaloux en secret de leurs talents. Le soir, il amusait beaucoup le roi, et 50 surtout la reine. Le roi disait : « Le grand ministre! » la reine disait : « L'aimable ministre! » et tous deux ajoutaient : « C'eût été grand dommage qu'il eût été pendu. »

Jamais homme en place ne fut obligé de donner tant d'audiences aux dames. La plupart venaient lui parler des 55 affaires qu'elles n'avaient point, pour en avoir une avec lui. La femme de l'envieux s'y présenta des premières; elle lui jura par Mithra [3], par Zenda Avesta [4] et par le feu sacré, qu'elle avait détesté la conduite de son mari; elle lui confia ensuite que son mari était un jaloux, un brutal; elle lui fit 60 entendre que les Dieux le punissaient en lui refusant les précieux effets de ce feu sacré par lequel seul l'homme est semblable aux immortels : elle finit par laisser tomber sa jarretière; Zadig la ramassa avec sa politesse ordinaire, mais il ne la rattacha point au genou de la dame; et cette 65 petite faute, si c'en est une, fut la cause des plus horribles infortunes. Zadig n'y pensa pas, et la femme de l'envieux y pensa beaucoup.

D'autres dames se présentaient tous les jours. Les annales secrètes de Babylone prétendent qu'il succomba 70 une fois, mais qu'il fut tout étonné de jouir sans volupté, et d'embrasser son amante avec distraction. Celle à qui il donna, sans presque s'en apercevoir, des marques de sa protection, était une femme de chambre de la Reine Astarté. Cette tendre Babylonienne se disait à elle-même 75 pour se consoler : Il faut que cet homme-là ait prodigieusement d'affaires dans la tête, puisqu'il y songe encore,

---

1. C'est à peu près l'emploi du temps de Frédéric II à Berlin. Les lignes qui suivent semblent être une petite vengeance contre Frédéric. — 2. Fidèle à l'esthétique classique, Voltaire aime peu la comédie larmoyante et le drame bourgeois qui connaissaient alors un grand succès. — 3. Dieu du soleil. — 4. Voltaire s'amuse : le *Zend* est le commentaire de l'*Avesta*, ensemble des livres sacrés des anciens Perses et attribués à Zoroastre.

même en faisant l'amour. Il échappa à Zadig, dans les
instants où plusieurs personnes ne disent mot, et où
d'autres ne prononcent que des paroles sacrées, de
80 s'écrier tout d'un coup : « La reine! » La Babylonienne
crut qu'enfin il était revenu à lui dans un bon moment,
et qu'il lui disait : « Ma reine! » Mais Zadig, toujours
très distrait, prononça le nom d'Astarté. La dame, qui
dans ces heureuses circonstances interprétait tout à son
85 avantage, s'imagina que cela voulait dire : « Vous êtes
plus belle que la reine Astarté! » Elle sortit du sérail de
Zadig avec de très beaux présents. Elle alla conter son
aventure à l'envieuse, qui était son amie intime; celle-ci
fut cruellement piquée de la préférence. « Il n'a pas daigné
90 seulement, dit-elle, me rattacher cette jarretière que voici,
et dont je ne veux plus me servir. — Oh! oh! dit la for-
tunée à l'envieuse, vous portez les mêmes jarretières que
la reine! Vous les prenez donc chez la même faiseuse? »
L'envieuse rêva profondément, ne répondit rien, et alla
95 consulter son mari l'envieux.

Cependant Zadig s'apercevait qu'il avait toujours
des distractions quand il donnait des audiences et quand
il les jugeait; il ne savait à quoi les attribuer; c'était là sa
seule peine.

100 Il eut un songe : il lui semblait qu'il était couché
d'abord sur des herbes sèches, parmi lesquelles il y en avait
quelques-unes de piquantes qui l'incommodaient, et
qu'ensuite il reposait mollement sur un lit de roses, dont
il sortait un serpent qui le blessait au cœur de sa langue
105 acérée et envenimée. « Hélas! disait-il, j'ai été longtemps
couché sur ces herbes sèches et piquantes, je suis maintenant sur le lit de roses; mais quel sera le serpent? »

CHAPITRE VIII

LA JALOUSIE

Le malheur de Zadig vint de son bonheur même, et
surtout de son mérite. Il avait tous les jours des entretiens

avec le roi et avec Astarté[1], son auguste épouse. Les
charmes de sa conversation redoublaient encore par cette
5 envie de plaire qui est à l'esprit ce que la parure est à la
beauté ; sa jeunesse et ses grâces firent insensiblement sur
Astarté une impression dont elle ne s'aperçut pas d'abord.
Sa passion croissait dans le sein de l'innocence. Astarté
se livrait sans scrupule et sans crainte au plaisir de voir et
10 d'entendre un homme cher à son époux et à l'État ; elle ne
cessait de le vanter au roi ; elle en parlait à ses femmes, qui
enchérissaient encore sur ses louanges ; tout servait à enfon-
cer dans son cœur le trait qu'elle ne sentait pas. Elle faisait
des présents à Zadig, dans lesquels il entrait plus de galan-
15 terie qu'elle ne pensait ; elle croyait ne lui parler qu'en reine
contente de ses services, et quelquefois ses expressions
étaient d'une femme sensible.

Astarté était beaucoup plus belle que cette Sémire qui
haïssait tant les borgnes, et que cette autre femme qui avait
20 voulu couper le nez à son époux[2]. La familiarité d'Astarté,
ses discours, tendres, dont elle commençait à rougir, ses
regards, qu'elle voulait détourner, et qui se fixaient sur les
siens, allumèrent dans le cœur de Zadig un feu dont il
s'étonna. Il combattit ; il appela à son secours la philosophie,
25 qui l'avait toujours secouru ; il n'en tira que des lumières,
et n'en reçut aucun soulagement. Le devoir, la reconnaissance, la majesté souveraine violée, se présentaient à
ses yeux comme des dieux vengeurs ; il combattait, il
triomphait ; mais cette victoire, qu'il fallait remporter à
30 tout moment, lui coûtait des gémissements et des larmes.
Il n'osait plus parler à la reine avec cette douce liberté qui
avait eu tant de charmes pour tous deux ; ses yeux se
couvraient d'un nuage ; ses discours étaient contraints et
sans suite ; il baissait la vue ; et quand, malgré lui, ses
35 regards se tournaient vers Astarté, ils rencontraient ceux
de la reine mouillés de pleurs, dont il partait des traits de
flamme ; ils semblaient se dire l'un à l'autre : « Nous nous
adorons, et nous craignons de nous aimer ; nous brûlons
tous deux d'un feu que nous condamnons. »

---

1. Voltaire attribue à la reine le nom de la déesse du ciel chez les peuples sémitiques.
Ces entretiens auxquels prend part la reine semblent peu vraisemblables : les monarques
orientaux préféraient d'ordinaire enfermer leurs épouses dans des appartements sévèrement
gardés d'où elles ne sortaient jamais sans voile, et certainement pas pour assister aux entretiens du roi avec son ministre. — 2. Voir les chapitres I et II.

40   Zadig sortait d'auprès d'elle égaré, éperdu, le cœur
surchargé d'un fardeau qu'il ne pouvait plus porter : dans
la violence de ses agitations, il laissa pénétrer son secret
à son ami Cador, comme un homme qui, ayant soutenu
longtemps les atteintes d'une vive douleur, fait enfin
45 connaître son mal par un cri qu'un redoublement aigu
lui arrache, et par la sueur froide qui coule sur son front.

Cador lui dit : « J'ai déjà démêlé les sentiments que
vous vouliez vous cacher à vous-même; les passions ont
des signes auxquels on ne peut se méprendre. Jugez, mon
50 cher Zadig, puisque j'ai lu dans votre cœur, si le roi n'y
découvrira pas un sentiment qui l'offense. Il n'a d'autre
défaut que celui d'être le plus jaloux des hommes. Vous
résistez à votre passion avec plus de force que la reine ne
combat la sienne, parce que vous êtes philosophe et parce
55 que vous êtes Zadig. Astarté est femme; elle laisse parler
ses regards avec d'autant plus d'imprudence qu'elle ne se
croit pas encore coupable. Malheureusement, rassurée sur
son innocence, elle néglige des dehors nécessaires. Je
tremblerai pour elle tant qu'elle n'aura rien à se reprocher.
60 Si vous étiez d'accord l'un et l'autre, vous sauriez tromper
tous les yeux : une passion naissante et combattue éclate;
un amour satisfait sait se cacher. » Zadig frémit à la proposition de trahir le roi, son bienfaiteur; et jamais il ne fut
plus fidèle à son prince que quand il fut coupable envers
65 lui d'un crime involontaire. Cependant la reine prononçait
si souvent le nom de Zadig, son front se couvrait de tant
de rougeur en le prononçant, elle était tantôt si animée,
tantôt si interdite, quand elle lui parlait en présence du roi;
une rêverie si profonde s'emparait d'elle quand il était
70 sorti, que le roi fut troublé. Il crut tout ce qu'il voyait, et
imagina tout ce qu'il ne voyait point. Il remarqua surtout
que les babouches de sa femme étaient bleues, et que les
babouches de Zadig étaient bleues, que les rubans de
sa femme étaient jaunes, et que le bonnet de Zadig était
75 jaune : c'étaient là de terribles indices pour un prince
délicat [1]. Les soupçons se tournèrent en certitude dans son
esprit aigri.

Tous les esclaves des rois et des reines sont autant

---

1. *Délicat* sur le point de l'honneur, prêt à prendre ombrage.

d'espions de leurs cœurs. On pénétra bientôt qu'Astarté
80 était tendre, et que Moabdar était jaloux. [L'Envieux qui
ne s'était point corrigé parce que le caillou ne se ramollit
pas, et que les animaux venimeux conservent toujours leur
poison, l'Envieux, dis-je, écrivit à Moabdar une lettre
anonyme, recours infâme des esprits pervers, qui est tou-
85 jours méprisé, mais qui cette fois porta coup, car cette
lettre secondait les sentiments funestes qui déchiraient le
cœur du Prince [1].] Le monarque ne songea plus qu'à
la manière de se venger. Il résolut une nuit d'empoisonner
la reine, et de faire mourir Zadig par le cordeau au point du
90 jour. L'ordre en fut donné à un impitoyable eunuque exé-
cuteur de ses vengeances. Il y avait alors dans la chambre
du roi un petit nain qui était muet, mais qui n'était pas
sourd. On le souffrait toujours : il était témoin de ce qui se
passait de plus secret, comme un animal domestique [2]. Ce
95 petit muet était très attaché à la reine et à Zadig. Il entendit,
avec autant de surprise que d'horreur, donner l'ordre de
leur mort. Mais comment faire pour prévenir cet ordre
effroyable, qui allait s'exécuter dans peu d'heures ? Il ne savait pas écrire ; mais il avait appris à peindre, et savait
100 surtout faire ressembler. Il passa une partie de la nuit à

---

1. Addition de 1747. — 2. Empoisonnements, strangulations, eunuques chargés de venger
l'honneur de leur maître, nains témoins de grands secrets, appartiennent à l'Orient mélo-
dramatique et romanesque tel que le XVIIIe siècle se le représentait.

● **L'intérêt dramatique**

Si, dans les chapitres précédents, la vertu était malheureuse parce
qu'elle était traquée par les forces du mal, désormais c'est elle-
même qui est à l'origine du malheur. D'autre part, la séparation de Zadig et d'Astarté, laissant en suspens l'intrigue qui
vient d'être nouée, crée un nouveau centre d'intérêt.
① Montrer avec quelle finesse Voltaire sait décrire le progrès de
l'amour dans le cœur de l'innocente Astarté, et comparer avec
un roman d'analyse psychologique, *la Princesse de Clèves* par
exemple.
② Analyser le conflit de l'amour et de la vertu chez Zadig.
③ Par quels autres aspects ce chapitre se rattache-t-il au genre
romanesque tel que Voltaire pouvait le connaître ?
④ Commenter : « L'amour est une pièce essentielle du roman [...].
Il est le ressort qui déclenche les événements, et les événements
à leur tour déclenchent des réflexions » (P. Van Tieghem).

crayonner ce qu'il voulait faire entendre à la reine. Son dessin représentait le roi agité de fureur, dans un coin du tableau, donnant des ordres à son eunuque; un cordeau bleu et un vase sur une table, avec des [babouches] bleues
105 et des rubans jaunes; la reine, dans le milieu du tableau, expirante entre les bras de ses femmes, et Zadig étranglé à ses pieds. L'horizon représentait un soleil levant, pour marquer que cette horrible exécution devait se faire aux premiers rayons de l'aurore. Dès qu'il eut fini cet ouvrage,
110 il courut chez une femme d'Astarté, la réveilla, et lui fit entendre qu'il fallait dans l'instant même porter ce tableau à la reine.

Cependant, au milieu de la nuit, on vient frapper à la porte de Zadig; on le réveille; on lui donne un billet
115 de la reine; il doute si c'est un songe; il ouvre la lettre d'une main tremblante. Quelle fut sa surprise, et qui pourrait exprimer la consternation et le désespoir dont il fut accablé, quand il lut ces paroles :

Fuyez dans l'instant même, ou l'on va vous arracher la vie.
120 *Fuyez, Zadig, je vous l'ordonne au nom de notre amour et de mes rubans jaunes. Je n'étais point coupable ; mais je sens que je vais mourir criminelle.*

Zadig eut à peine la force de parler[1]. Il ordonna qu'on fît venir Cador, et sans lui rien dire, il lui donna ce billet.
125 Cador le força d'obéir et de prendre sur-le-champ la route de Memphis. « Si vous osez aller trouver la reine, lui dit-il, vous hâtez sa mort; si vous parlez au roi, vous la perdez encore. Je me charge de sa destinée; suivez la vôtre. Je répandrai le bruit que vous avez pris la route des
130 Indes. Je viendrai bientôt vous trouver, et je vous apprendrai ce qui se sera passé à Babylone. »

Cador, dans le moment même, fit placer deux dromadaires des plus légers à la course vers une porte secrète du palais; il fit monter Zadig, qu'il fallut porter et qui
135 était près de rendre l'âme. Un seul domestique l'accompagna; et bientôt Cador, plongé dans l'étonnement et dans la douleur, perdit son ami de vue.

---

1. « Voltaire s'égaye à peindre ses héros si tendres qu'une forte émotion leur fait perdre les sens » (Ascoli).

Cet illustre fugitif, arrivé sur le bord d'une colline, dont
on voyait Babylone, tourna la vue sur le palais de la reine,
140 et s'évanouit; il ne reprit ses sens que pour verser des
larmes et pour souhaiter la mort. Enfin, après s'être occupé
de la destinée déplorable de la plus aimable des femmes et
de la première reine du monde, il fit un moment de retour
sur lui-même et s'écria : « Qu'est-ce donc que la vie
145 humaine? O vertu! à quoi m'avez-vous servi? Deux femmes
m'ont indignement trompé; la troisième, qui n'est point
coupable, et qui est plus belle que les autres, va mourir!
Tout ce que j'ai fait de bien a toujours été pour moi une
source de malédictions, et je n'ai été élevé au comble de la
150 grandeur que pour tomber dans le plus horrible précipice
de l'infortune. Si j'eusse été méchant, comme tant d'autres,
je serais heureux comme eux. » Accablé de ces réflexions
funestes, les yeux chargés du voile de la douleur, la pâleur
de la mort sur le visage et l'âme abîmée dans l'excès d'un
155 sombre désespoir, il continuait son voyage vers l'Égypte.

CHAPITRE IX

LA FEMME BATTUE

Zadig dirigeait sa route sur les étoiles. La constellation
d'Orion et le brillant astre de Sirius le guidaient vers le pôle
de Canope [1]. Il admirait ces vastes globes de lumière qui
ne paraissent que de faibles étincelles à nos yeux, tandis
5 que la terre, qui n'est en effet [2] qu'un point imperceptible
dans la nature, paraît à notre cupidité quelque chose de si
grand et de si noble. Il se figurait alors les hommes tels
qu'ils sont en effet, des insectes se dévorant les uns les
autres sur un petit atome de boue. Cette image vraie sem-

---

1. La correction de *pôle* en *port* qu'a proposée Decroix, ne s'impose pas, puisque Zadig
se rend à Memphis et non au port de *Canope*. Il semble que Voltaire cherche une expression
équivalente de : pôle sud. Tournant le dos à l'étoile polaire, Zadig ne peut se diriger qu'à
l'aide des étoiles de l'hémisphère austral. Canope se trouve approximativement sur une
médiatrice qui couperait un axe fictif joignant le Baudrier d'Orion à Sirius. Par rapport à
Zadig, cette médiatrice indique le plein sud — comme dans l'hémisphère boréal la polaire
indique le pôle nord. Ainsi pourrait s'expliquer l'expression controversée de *pôle de Canope*,
qui reste malgré tout impropre, puisque Canope n'est pas à l'antipode de la polaire. Au
demeurant l'étoile Canope n'est pas visible depuis Babylone. Voltaire a dû se contenter
d'indications sommaires prises sur quelque carte du ciel. Mais l'essentiel est que Zadig
arrive en Égypte quand même. — 2. En réalité.

¹⁰ blait anéantir ses malheurs en lui retraçant le néant de son
être et celui de Babylone. Son âme s'élançait jusque dans
l'infini, et contemplait, détachée de ses sens, l'ordre immua-
able de l'univers ¹. Mais lorsque ensuite, rendu à lui-même
et rentrant dans son cœur, il pensait qu'Astarté était
¹⁵ peut-être morte pour lui, l'univers disparaissait à ses
yeux, et il ne voyait dans la nature entière qu'Astarté mou-
rante et Zadig infortuné.

　　Comme il se livrait à ce flux et à ce reflux de philosophie sublime et de douleur accablante, il avançait
²⁰ vers les frontières de l'Égypte; et déjà son domestique
fidèle était dans la première bourgade, où il lui cherchait
un logement. Zadig cependant ² se promenait vers les jardins qui bordaient ce village. Il vit, non loin du grand
chemin, une femme éplorée qui appelait le Ciel et la
²⁵ terre à son secours, et un homme furieux qui la suivait.

---

1. Voir p. 122. — 2. Pendant ce temps. Il est inutile de s'étonner que Zadig ait pu
accomplir en une nuit un trajet si long. Le conte n'a pas à être vraisemblable.

● **« La théophanie céleste »** (R. Pomeau)

　　Voltaire ne pouvait ignorer les méditations que le ciel étoilé
a inspirées à Montaigne, à Pascal, à Fénelon... Les leçons de ces
moralistes sont présentes à son esprit quand à son tour il écrit
la méditation de Zadig, mais le ciel qu'il contemple est celui
que Newton a montré à ses contemporains : c'est *l'ordre immuable
de l'univers* (p. 60, l. 12) voulu et maintenu par une intelligence
suprême. On aurait tort de ne voir, dans cette méditation, que
l'expression d'un scepticisme désabusé :
　　« Zadig n'a vu jusqu'ici que l'envers du tableau. La Providence,
dont il doute, va se révéler à lui par degrés. C'est dans la nature
d'abord qu'il la découvre et devant un ciel nocturne qu'il en a
l'intuition [...]. Le contraste effrayant et apaisant à la fois entre
l'infiniment grand et l'infiniment stable et, d'autre part, l'infiniment dérisoire, loin d'accabler l'esprit, lui communique ce choc,
cette émotion exaltante dont M. Pomeau a fort bien montré
qu'elle est d'essence religieuse » (R. Mauzi, *l'Idée de bonheur
au XVIII*ᵉ *s.*, p. 66).
　　① Étudier le mouvement de cette méditation : élévation,
contemplation, retombée. Comparer l'état d'esprit de Zadig
dans cette méditation avec celui du chapitre III (l. 6 à 22).
Comment se traduit l'influence des moralistes français? Quelle est
l'originalité de Voltaire? Justifier la place de cette méditation
au début du chapitre IX, alors que logiquement on l'attendrait
à la fin du chapitre VIII.

Elle était déjà atteinte par lui, elle embrassait ses genoux. Cet homme l'accablait de coups et de reproches. Il jugea, à la violence de l'Égyptien et aux pardons réitérés que lui demandait la dame, que l'un était un jaloux et l'autre
30 une infidèle; mais, quand il eut considéré cette femme, qui était d'une beauté touchante, et qui même ressemblait un peu à la malheureuse Astarté, il se sentit pénétré de compassion pour elle et d'horreur pour l'Égyptien. « Secourez-moi, s'écria-t-elle à Zadig avec des sanglots; tirez-moi
35 des mains du plus barbare des hommes, sauvez-moi la vie. »

A ces cris, Zadig courut se jeter entre elle et ce barbare. Il avait quelque connaissance de la langue égyptienne. Il lui dit en cette langue : « Si vous avez quelque huma-
40 nité [1], je vous conjure de respecter la beauté et la faiblesse. Pouvez-vous outrager ainsi un chef-d'œuvre de la nature, qui est à vos pieds, et qui n'a pour défense que des larmes? — Ah! ah! lui dit cet emporté, tu l'aimes donc aussi! et c'est de toi qu'il faut que je me venge. » En disant ces
45 paroles, il laisse la dame qu'il tenait d'une main par les cheveux, et, prenant sa lance, il veut en percer l'étranger. Celui-ci, qui était de sang-froid, évita aisément le coup d'un furieux. Il se saisit de la lance près du fer dont elle est armée. L'un veut la retirer, l'autre l'arracher. Elle se brise
50 entre leurs mains. L'Égyptien tire son épée; Zadig s'arme de la sienne. Ils s'attaquent l'un l'autre. Celui-ci porte cent coups précipités; celui-là les pare avec adresse. La dame, assise sur un gazon, rajuste sa coiffure et les regarde. L'Égyptien était plus robuste que son adversaire, Zadig
55 était plus adroit. Celui-ci se battait en homme dont la tête conduisait le bras, et celui-là comme un emporté dont une colère aveugle guidait les mouvements au hasard. Zadig passe [2] à lui et le désarme, et, tandis que l'Égyptien, devenu plus furieux, veut se jeter sur lui, il le saisit, le
60 presse, le fait tomber en lui tenant l'épée sur la poitrine; il lui offre de lui donner la vie. L'Égyptien, hors de lui, tire son poignard; il en blesse Zadig dans le temps même que le vainqueur lui pardonnait. Zadig, indigné, lui plonge

---

1. Des sentiments d'*humanité*. — 2. *Passer* : gagner le fort de l'épée d'un adversaire, pour le saisir au corps ou le désarmer; voir p. 98, l. 67.

son épée dans le sein. L'Égyptien jette un cri horrible, et
65 meurt en se débattant.

Zadig alors s'avança vers la dame, et lui dit d'une
voix soumise : « Il m'a forcé de le tuer : je vous ai vengée;
vous êtes délivrée de l'homme le plus violent que j'aie jamais vu. Que voulez-vous maintenant de moi, Madame?
70 — Que tu meures, scélérat, lui répondit-elle, que tu
meures! tu as tué mon amant; je voudrais pouvoir déchirer
ton cœur. — En vérité, Madame, vous aviez là un étrange
homme pour amant, lui répondit Zadig; il vous battait de
toutes ses forces, et il voulait m'arracher la vie parce que
75 vous m'avez conjuré de vous secourir. — Je voudrais qu'il
me battît encore, reprit la dame en poussant des cris. Je le
méritais bien, je lui avais donné de la jalousie. Plût au Ciel
qu'il me battît, et que tu fusses à sa place! » Zadig, plus surpris et plus en colère qu'il ne l'avait été de sa vie, lui dit :
80 « Madame, toute belle que vous êtes, vous mériteriez
que je vous battisse à mon tour, tant vous êtes extravagante, mais je n'en prendrai pas la peine. » Là-dessus, il
remonta sur son chameau et avança vers le bourg. A
peine avait-il fait quelques pas qu'il se retourne au bruit
85 que faisaient quatre courriers de Babylone. Ils venaient
à toute bride. L'un d'eux, en voyant cette femme, s'écria :
« C'est elle-même; elle ressemble au portrait qu'on nous en
a fait. » Ils ne s'embarrassèrent pas du mort, et se saisirent
incontinent de la dame. Elle ne cessait de crier à Zadig :
90 « Secourez-moi encore une fois, étranger généreux! je vous
demande pardon de m'être plainte de vous : secourez-moi,
et je suis à vous jusqu'au tombeau. » L'envie avait passé
à Zadig de se battre désormais pour elle. « A d'autres!
répondit-il; vous ne m'y attraperez plus. »

● **La femme battue**
① Montrer que la composition de cet épisode ménage un effet
de surprise à chaque moment de l'action. En venant au secours
de Missouf, Zadig obéit-il uniquement à sa courtoisie naturelle?
Pourquoi Voltaire laisse-t-il planer un mystère sur l'enlèvement
de Missouf par les courriers babyloniens? Relever les allusions
au *Médecin malgré lui*, à *Andromaque*, à *la Femme noyée* de
La Fontaine, aux romans de chevalerie.
② Ne pourrait-on dire, comme on l'a dit des *Fables* de la
Fontaine, que les *Contes* de Voltaire sont « un miracle de la
culture »?

95 D'ailleurs il était blessé, son sang coulait, il avait besoin de secours; et la vue des quatre Babyloniens, probablement envoyés par le roi Moabdar, le remplissait d'inquiétude. Il s'avance en hâte vers le village, n'imaginant pas pourquoi quatre courriers de Babylone venaient prendre cette
100 Égyptienne, mais encore plus étonné du caractère de cette dame.

CHAPITRE X

L'ESCLAVAGE

Comme il entrait ·dans la bourgade égyptienne, il se vit entouré par le peuple. Chacun criait : « Voilà celui qui a enlevé la belle Missouf[1], et qui vient d'assassiner Clétofis[2]! — Messieurs, dit-il, Dieu me préserve d'enle-
5 ver jamais votre belle Missouf! elle est trop capricieuse, et, à l'égard de Clétofis, je ne l'ai point assassiné, je me suis défendu seulement contre lui. Il voulait me tuer, parce que je lui avais demandé très humblement grâce pour la belle Missouf, qu'il battait impitoyablement. Je
10 suis un étranger qui vient chercher un asile dans l'Égypte; et il n'y a pas d'apparence qu'en venant demander votre protection j'aie commencé par enlever une femme et par assassiner un homme. »

Les Égyptiens[3] étaient alors justes et humains. Le
15 peuple conduisit Zadig à la maison de ville. On commença par le faire panser de sa blessure, et ensuite on l'interrogea, lui et son domestique séparément, pour savoir la vérité. On reconnut que Zadig n'était point un assassin; mais il était coupable du sang d'un homme;
20 la loi le condamnait à être esclave. On vendit au profit de la bourgade ses deux chameaux; on distribua aux habitants tout l'or qu'il avait apporté; sa personne fut exposée en vente sur la place publique, ainsi que celle de son compagnon de voyage. Un marchand arabe, nommé

1. Dans *Memnon*, la « belle capricieuse » s'appelait Marie; elle devient Isela dans un manuscrit conservé à Léningrad, et enfin *Missouf*, nom d'une ville égyptienne, à partir de l'édition de 1748. — 2. Primitivement écrit *Clétophis*. Nom d'origine obscure; il semble formé de deux radicaux grecs : *cletos* = appelé, et *ophis* = serpent. L'Égypte est le pays à la fois du caducée (serpent guérisseur) et de Typhon (principe du mal). — 3. Voltaire croyait que les Égyptiens étaient superstitieux et fanatiques; voir le chapitre XII, *le Souper*.

[25] Sétoc[1], y mit l'enchère; mais le valet, plus propre à la fatigue, fut vendu bien plus chèrement que le maître. On ne faisait pas de comparaison entre ces deux hommes. Zadig fut donc esclave subordonné à son valet : on les attacha ensemble avec une chaîne qu'on leur passa aux pieds, et en [30] cet état ils suivirent le marchand arabe dans sa maison. Zadig, en chemin, consolait son domestique et l'exhortait à la patience; mais, selon sa coutume, il faisait des réflexions sur la vie humaine. « Je vois, lui disait-il, que les malheurs de ma destinée se répandent sur la tienne. Tout m'a tourné [35] jusqu'ici d'une façon bien étrange. J'ai été condamné à l'amende pour avoir vu[2] passer une chienne; j'ai pensé[3] être empalé pour un griffon; j'ai été envoyé au supplice parce que j'avais fait des vers à la louange du roi; j'ai été sur le point d'être étranglé parce que la reine avait [40] des rubans jaunes, et me voici esclave avec toi parce qu'un brutal a battu sa maîtresse. Allons, ne perdons point courage; tout ceci finira peut-être; il faut bien que les marchands arabes aient des esclaves; et pourquoi ne le serais-je pas comme un autre, puisque je suis homme [45] comme un autre? Ce marchand ne sera pas impitoyable; il faut qu'il traite bien ses esclaves, s'il en veut tirer des services. » Il parlait ainsi, et, dans le fond de son cœur, il était occupé du sort de la reine de Babylone.

Sétoc, le marchand, partit deux jours après pour [50] l'Arabie déserte, avec ses esclaves et ses chameaux. Sa tribu habitait vers le désert d'Horeb[4]. Le chemin fut long et pénible. Sétoc, dans la route, faisait bien plus de cas du valet que du maître, parce que le premier chargeait bien mieux les chameaux; et toutes les petites distinctions furent [55] pour lui.

Un chameau mourut à deux journées d'Horeb; on répartit sa charge sur le dos de chacun des serviteurs; Zadig en eut sa part. Sétoc se mit à rire en voyant tous ses esclaves marcher courbés. Zadig prit la liberté de [60] lui en expliquer la raison, et lui apprit les lois de l'équilibre. Le marchand, étonné, commença à le regarder d'un autre œil. Zadig, voyant qu'il avait excité sa curiosité, la

---

1. Légère altération de *Sadok*, prénom sémitique fort répandu, signifiant « le Véridique », celui à qui l'on peut faire confiance. — 2. Inadvertance de Voltaire, puisque Zadig a été condamné (chap. III) alors qu'il n'avait pas *vu* la chienne. — 3. J'ai failli. — 4. Le mont Horeb est le massif du Sinaï.

redoubla en lui apprenant beaucoup de choses qui n'étaient point étrangères à son commerce : les pesanteurs spécifiques
65 des métaux et des denrées [1] sous un volume égal; les propriétés de plusieurs animaux utiles; le moyen de rendre tels ceux qui ne l'étaient pas; enfin il lui parut un sage. Sétoc lui donna la préférence sur son camarade, qu'il avait tant estimé. Il le traita bien, et n'eut pas sujet de
70 s'en repentir.

Arrivé dans sa tribu, Sétoc commença par redemander cinq cents onces [2] d'argent à un Hébreu auquel il les avait prêtées en présence de deux témoins; mais ces deux témoins étaient morts, et l'Hébreu, ne pouvant être convaincu [3],
75 s'appropriait l'argent du marchand, en remerciant Dieu de ce qu'il lui avait donné le moyen de tromper un Arabe. Sétoc confia sa peine à Zadig, qui était devenu son conseil [4]. « En quel endroit, demanda Zadig, prêtâtes-vous vos cinq cents onces à cet infidèle [5]? — Sur une large pierre, répondit
80 le marchand, qui est auprès du mont Horeb. — Quel est le caractère de votre débiteur? dit Zadig. — Celui d'un fripon, reprit Sétoc. — Mais je vous demande si c'est un

---

1. Toute espèce de marchandise. — 2. Une once = 30,59 g. — 3. Reconnu coupable. — 4. Conseiller (cf. avocat-conseil). — 5. Noter la malice de ce mot.

● **Zadig esclave**

L'esclavage est une épreuve de vérité, il rend illusoires les distinctions sociales que les hommes mettent entre eux.
① **Comparer les lignes 25 à 30 de ce chapitre avec les pages 84 (l. 78-89) et 93 (l. 155-172). Comment ce thème de l'esclavage est-il lié à celui de la vanité, qui revient dans la plupart des chapitres du conte? Que pouvons-nous déduire de la fréquence de ces thèmes tout au long du conte? Voltaire croit-il à l'égalité naturelle des hommes?**
② **Zadig n'est-il pas devenu plus humain que dans les précédents chapitres? Quelle est son attitude en face de sa destinée?**
Non seulement le personnage de Zadig change, mais aussi le ton et les procédés de l'ironie. L'âpreté du ton est plus grande. Le paradoxe amer et cynique se substitue à l'ironie légère et désinvolte. *Zadig* annonce déjà *Candide*.
③ **En quoi la justice des « Égyptiens d'alors » (l. 14) est-elle déjà plus sage que celle de Babylone? L'éloge que leur décerne Voltaire ne fait-il pas ressortir davantage l'inhumanité de leur justice? Le valet de Zadig était-il coupable? Montrer comment la logique du raisonnement de Zadig (l. 41-45) fait éclater l'absurdité de sa condition d'esclave.**

homme vif ou flegmatique, avisé ou imprudent. — C'est de
tous les mauvais payeurs, dit Sétoc, le plus vif que je
85 connaisse. — Eh bien! insista Zadig, permettez que je
plaide votre cause devant le juge. » En effet, il cita l'Hébreu
au tribunal, et il parla ainsi au juge : « Oreiller du trône
d'équité, je viens redemander à cet homme, au nom de mon
maître, cinq cents onces d'argent qu'il ne veut pas rendre.
90 — Avez-vous des témoins? dit le juge. — Non, ils sont
morts; mais il reste une large pierre sur laquelle l'argent
fut compté; et, s'il plaît à Votre Grandeur d'ordonner qu'on
aille chercher la pierre, j'espère qu'elle portera témoignage;
nous resterons ici, l'Hébreu et moi, en attendant que la
95 pierre vienne; je l'enverrai chercher aux dépens de Sétoc,
mon maître. — Très volontiers, » répondit le juge. Et il se
mit à expédier d'autres affaires.

A la fin de l'audience : « Eh bien! dit-il à Zadig, votre
pierre n'est pas encore venue? » L'Hébreu, en riant,
100 répondit : « Votre Grandeur resterait ici jusqu'à demain
que la pierre ne serait pas encore arrivée; elle est à plus
de six milles d'ici, et il faudrait quinze hommes pour la
remuer. — Eh bien! s'écria Zadig, je vous avais bien dit
que la pierre porterait témoignage; puisque cet homme
105 sait où elle est, il avoue donc que c'est sur elle que l'argent
fut compté. » L'Hébreu, déconcerté, fut bientôt contraint
de tout avouer. Le juge ordonna qu'il serait lié à la pierre,
sans boire ni manger, jusqu'à ce qu'il eût rendu les cinq
cents onces, qui furent bientôt payées [1].
110 L'esclave Zadig et la pierre [2] furent en grande recom-
mandation dans l'Arabie.

CHAPITRE XI

LE BÛCHER

Sétoc, enchanté, fit de son esclave son ami intime.
Il ne pouvait pas plus se passer de lui qu'avait fait le
roi de Babylone; et Zadig fut heureux que Sétoc n'eût

---

1. Il existe, sur le thème de cette anecdote, un grand nombre de variations. Voltaire
en avait résumé une dans le *Sottisier*. — 2. Mise sur un plan d'égalité avec Zadig.

point de femme. Il découvrait dans son maître un naturel
5 porté au bien, beaucoup de droiture et de bon sens. Il
fut fâché de voir qu'il adorait l'armée céleste [1], c'est-à-dire
le soleil, la lune et les étoiles, selon l'ancien usage d'Arabie.
Il lui en parlait quelquefois avec beaucoup de discrétion.
Enfin il lui dit que c'étaient des corps comme les autres,
10 qui ne méritaient pas plus son hommage qu'un arbre
ou un rocher. « Mais, disait Sétoc, ce sont des êtres éternels
dont nous tirons tous nos avantages; ils animent la nature;
ils règlent les saisons; ils sont d'ailleurs si loin de nous
qu'on ne peut pas s'empêcher de les révérer. — Vous rece-
15 vez plus d'avantages, répondit Zadig, des eaux de la mer
Rouge, qui portent vos marchandises aux Indes. Pourquoi
ne serait-elle pas aussi ancienne que les étoiles? Et si vous
adorez ce qui est éloigné de vous, vous devez adorer
la terre des Gangarides [2], qui est aux extrémités du monde.
20 — Non, disait Sétoc, les étoiles sont trop brillantes pour
que je ne les adore pas. » Le soir venu, Zadig alluma un
grand nombre de flambeaux dans la tente où il devait
souper avec Sétoc; et, dès que son patron parut, il se jeta
à genoux devant ces cires [3] allumées, et leur dit : « Éter-
25 nelles et brillantes clartés, soyez-moi toujours propices. »
Ayant proféré ces paroles, il se mit à table sans regarder
Sétoc. « Que faites-vous donc? lui dit Sétoc étonné. — Je
fais comme vous, répondit Zadig; j'adore ces chandelles [3],
et je néglige leur maître et le mien. » Sétoc comprit le sens
30 profond de cet apologue. La sagesse de son esclave
entra dans son âme [4]; il ne prodigua plus son encens aux
créatures, et adora l'Être éternel qui les a faites.

Il y avait alors dans l'Arabie une coutume [5] affreuse,
venue originairement de Scythie, et qui, s'étant établie
35 dans les Indes par le crédit des brahmanes, menaçait
d'envahir tout l'Orient. Lorsqu'un homme marié était
mort et que sa femme bien-aimée [6] voulait être sainte,
elle se brûlait en public sur le corps de son mari [7]. C'était
une fête solennelle qui s'appelait *le bûcher du veuvage*. La

---

1. « Le mot *Sabba*, en arabe, signifie « l'armée des cieux », et c'est de là que le sabisme prit son nom, et que vient, chez les Hébreux, le mot Sabbaoth » (Voltaire). — 2. Pays de l'Inde, à l'est du Gange. — 3. Les mots *cires* (l. 24) et *chandelles* (l. 28) ont une valeur dénigrante. — 4. Style biblique. — 5. Voltaire se souvient à la fois de Montesquieu (*Lettres persanes*, CXXV) et des récits des voyageurs Bernier et Tavernier. — 6. Cf. p. 69, l. 62 et 89, n. 4 — 7. En Scythie on faisait mieux (si l'on peut dire) : on enfermait l'épouse vivante dans le tombeau de son mari.

⁴⁰ tribu dans laquelle il y avait eu le plus de femmes brûlées
était la plus considérée. Un Arabe de la tribu de Sétoc
étant mort, sa veuve, nommée Almona [1], qui était fort
dévote, fit savoir le jour et l'heure où elle se jetterait dans le
feu au son des tambours et des trompettes. Zadig remon-
⁴⁵ tra à Sétoc combien cette horrible coutume était contraire
au bien du genre humain; qu'on laissait brûler tous les
jours de jeunes veuves qui pouvaient donner des enfants
à l'État, ou du moins élever les leurs; et il le fit convenir
qu'il fallait, si on pouvait, abolir un usage si barbare.
⁵⁰ Sétoc répondit : « Il y a plus de mille ans que les femmes
sont en possession de se brûler. Qui de nous osera changer
une loi que le temps a consacrée? Y a-t-il rien de plus
respectable qu'un ancien abus [2]? — La raison est plus
ancienne, reprit Zadig. Parlez aux chefs des tribus, et je
⁵⁵ vais trouver la jeune veuve [3]. »

Il se fit présenter à elle; et, après s'être insinué dans
son esprit par des louanges sur sa beauté, après lui avoir

---

1. Le mot semble forgé de l'article arabe *al* et du radical grec *monê* = seule. Littéralement : la solitaire, la veuve. — 2. « Une de ces formules raccourcies et expressives,
monstrueuses dans leur cynisme ingénu, dont Voltaire a le secret » (Ascoli). — 3. « Voltaire
est à l'unisson de son siècle lorsqu'il oppose à l'idée de tradition, synonyme pour lui de
barbarie, la Raison et son œuvre libératrice » (A. Adam).

- **Zadig apôtre du déisme**
  ① Quelles sont les dispositions requises pour être un bon
  déiste, et que Zadig décèle chez Sétoc? En quoi s'opposent la
  « superstition » de Sétoc et la « vérité » de Zadig?
  ② Commenter ces deux opinions en apparence contradictoires :
  « Voltaire est déiste obstinément, chaleureusement, gravement »
  (G. Lanson).
  « Sa foi, comme le poème parfait, est surtout faite de ratures.
  A force d'éloigner Dieu et d'éclairer l'homme, il installe au ciel
  un postulat, et sur la terre un orphelin » (J. Vier).
  Lecture conseillée : R. Pomeau, *la Religion de Voltaire*, p. 455-
  462.

- **Le bûcher** (l. 33 et suiv.)
  ③ Montrer qu'à travers Almona, Voltaire raille en réalité la
  dévote française. Étudier le mélange d'horreur et de fête qui
  caractérise la cérémonie du bûcher, et comparer avec *Candide*
  (chapitre VI).

- **Intérêt dramatique**
  ④ Comment les deux épisodes de ce chapitre se rattachent-ils
  à la même idée et préparent-ils le chapitre suivant?

dit combien c'était dommage de mettre au feu tant de
charmes, il la loua encore sur sa constance et sur son
60 courage. « Vous aimiez donc prodigieusement votre mari?
lui dit-il. — Moi? point du tout, répondit la dame arabe.
C'était un brutal, un jaloux, un homme insupportable;
mais je suis fermement résolue de me jeter sur son bûcher.
— Il faut, dit Zadig, qu'il y ait apparemment un plaisir
65 bien délicieux à être brûlée vive. — Ah! cela fait frémir
la nature, dit la dame; mais il faut en passer par là. Je
suis dévote; je serais perdue de réputation, et tout le monde
se moquerait de moi, si je ne me brûlais pas. » Zadig, l'ayant
fait convenir qu'elle se brûlait pour les autres et par vanité,
70 lui parla longtemps d'une manière à lui faire aimer un peu
la vie, et parvint même à lui inspirer quelque bienveillance
pour celui qui lui parlait. « Que feriez-vous enfin, lui
dit-il, si la vanité de vous brûler ne vous tenait pas? —
Hélas! dit la dame, je crois que je vous prierais de m'épou-
75 ser. »

Zadig était trop rempli de l'idée d'Astarté pour ne
pas éluder cette déclaration; mais il alla dans l'instant
trouver les chefs des tribus, leur dit ce qui s'était passé,
et leur conseilla de faire une loi par laquelle il ne serait
80 permis à une veuve de se brûler qu'après avoir entre-
tenu un jeune homme tête à tête pendant une heure entière.
Depuis ce temps, aucune dame ne se brûla en Arabie.
On eut au seul Zadig l'obligation d'avoir détruit en un
jour une coutume si cruelle, qui durait depuis tant de
85 siècles. Il était donc le bienfaiteur de l'Arabie.

CHAPITRE XII

LE SOUPER

Sétoc, qui ne pouvait se séparer de cet homme en qui
habitait la sagesse [1], le mena à la grande foire de Bassora [2],
où devaient se rendre les plus grands négociants de la

---

1. Formule biblique : voir p. 67, note 4. — 2. Port situé sur le golfe Persique, à
l'embouchure du Tigre. Il s'y tenait autrefois une foire importante.

terre habitable. Ce fut pour Zadig une consolation sen-
5 sible de voir tant d'hommes de diverses contrées réunis
dans la même place. Il lui paraissait que l'univers était
une grande famille qui se rassemblait à Bassora[1]. Il se
trouva à table, dès le second jour, avec un Égyptien,
un Indien Gangaride[2], un habitant du Cathay[3], un
10 Grec, un Celte, et plusieurs autres étrangers qui, dans
leurs fréquents voyages vers le golfe Arabique, avaient
appris assez d'arabe pour se faire entendre. L'Égyptien paraissait fort en colère. « Quel abominable
pays que Bassora! disait-il; on m'y refuse mille onces[4]
15 d'or sur le meilleur effet[5] du monde. — Comment donc!
dit Sétoc; sur quel effet vous a-t-on refusé cette somme?
— Sur le corps de ma tante, répondit l'Égyptien; c'était
la plus brave femme d'Égypte. Elle m'accompagnait
toujours; elle est morte en chemin : j'en ai fait une des
20 plus belles momies que nous ayons; et je trouverais
dans mon pays tout ce que je voudrais en la mettant en
gage[6]. Il est bien étrange qu'on ne veuille pas seulement
me donner ici mille onces d'or sur un effet si solide. »
Tout en se courrouçant, il était prêt de[7] manger d'une
25 excellente poule bouillie, quand l'Indien, le prenant
par la main[8], s'écria avec douleur : « Ah! qu'allez-vous
faire? — Manger de cette poule, dit l'homme à la momie.
— Gardez-vous en bien, dit le Gangaride. Il se pourrait
faire que l'âme de la défunte fût passée dans le corps de
30 cette poule, et vous ne voudriez pas vous exposer à manger
votre tante. Faire cuire des poules, c'est outrager manifestement la nature. — Que voulez-vous dire avec votre
nature et vos poules? reprit le colérique Égyptien; nous
adorons un bœuf[9], et nous en mangeons bien. — Vous
35 adorez un bœuf! est-il possible? dit l'homme du Gange.
— Il n'y a rien de si possible, repartit l'autre; il y a cent
trente-cinq mille ans que nous en usons ainsi, et personne
parmi nous n'y trouve à redire. — Ah! cent trente-cinq

---

1. Voltaire a ressenti la même impression à Amsterdam et à la Bourse de Londres : cf. *Lettres philosophiques*, VI. — 2. Habitant du Bengale, à l'est du Gange. — 3. Un Chinois. — 4. L'once vaut 30,59 g. L'Égyptien ne veut pas vendre la momie, mais l'hypothéquer. — 5. Un bien réel. — 6. Une loi égyptienne obligeait tout emprunteur à laisser *en gage* la momie d'un parent. Si l'emprunteur mourait sans avoir racheté sa dette, il était considéré comme impie, et on le privait de sépulture. — 7. *Prêt de* signifie : « disposé à », et c'est *prêt à* qui exprime l'imminence de l'action. Mais les confusions d'emploi étaient fréquentes. — 8. Comparer avec Montesquieu, *Lettres persanes*, XLVI. — 9. Le *bœuf* Apis.

Momie du roi
Menephtah
«... j'en ai fait
une des plus
belles momies
que nous ayons »
(p. 70, l. 19-20)

mille ans [1] ! dit l'Indien, ce compte est un peu exagéré; il
40 n'y en a que quatre-vingt mille que l'Inde est peuplée, et
assurément nous sommes vos anciens [2]; et Brahma [3] nous
avait défendu de manger des bœufs avant que vous vous
fussiez avisés de les mettre sur les autels et à la broche.
— Voilà un plaisant animal que votre Brahma pour le
45 comparer à Apis! dit l'Égyptien; qu'a donc fait votre
Brahma de si beau? » Le bramin répondit : « C'est lui qui
a appris aux hommes à lire et à écrire, et à qui toute la terre
doit le jeu des échecs. — Vous vous trompez, dit un
Chaldéen qui était auprès de lui; c'est le poisson Oannès [4]
50 à qui on doit de si grands bienfaits, et il est juste de ne
rendre qu'à lui ses hommages. Tout le monde vous dira
que c'était un être divin, qu'il avait la queue dorée, avec
une belle tête d'homme, et qu'il sortait de l'eau pour
venir prêcher à terre trois heures par jour. Il eut plusieurs
55 enfants, qui furent rois, comme chacun sait. J'ai son
portrait chez moi, que je révère comme je le dois. On
peut manger du bœuf tant qu'on veut; mais c'est assurément une très grande impiété de faire cuire du poisson;
d'ailleurs vous êtes tous deux d'une origine trop peu
60 noble et trop récente pour me rien disputer. La nation
égyptienne ne compte que cent trente-cinq mille ans,
et les Indiens ne se vantent que de quatre-vingt mille,
tandis que nous avons des almanachs [5] de quatre mille
siècles. Croyez-moi, renoncez à vos folies, et je vous
65 donnerai à chacun un beau portrait d'Oannès. »

L'homme de Cambalu [6], prenant la parole, dit : « Je
respecte fort les Égyptiens, les Chaldéens, les Grecs,
les Celtes, Brahma, le bœuf Apis, le beau poisson Oannès; mais peut-être que le Li ou le Tien [7], comme on
70 voudra l'appeler, vaut bien les bœufs et les poissons.

---

1. Dans les *Lettres philosophiques* (XVII), Voltaire reconnaît que les Égyptiens comptaient
11 340 années d'ancienneté. « L'homme à la momie », fort vaniteux, multiplie par dix
l'ancienneté de son peuple. — 2. « Il n'y a point de famille, de ville, de nation qui ne
cherche à reculer son origine » (*Lettres philosophiques*, XVII). — 3. « Le premier des
trois êtres que Dieu a créés et par le moyen desquels il a fait ensuite le monde... Il a
laissé quatre livres dans lesquels toutes les sciences et toutes les cérémonies des brach-
manes sont comprises » (d'Herbelot). — 4. Être mythique, moitié homme, moitié poisson,
qui aurait tenu auprès des Chaldéens le même rôle que Brahma auprès des Hindous. Tout
ce passage est la transcription comique de textes d'historiens contemporains de Voltaire. —
5. Calendriers. — 6. Pékin. — 7. « Mots chinois qui signifient proprement : *Li*, la lumière
naturelle; et *Tien*, le ciel; et qui signifient aussi Dieu » (Note de Voltaire).

Je ne dirai rien de mon pays; il est aussi grand que la
terre d'Égypte, la Chaldée et les Indes ensemble. Je ne
dispute pas d'antiquité, parce qu'il suffit d'être heureux,
et que c'est fort peu de chose d'être ancien; mais, s'il
75 fallait parler d'almanachs, je dirais que toute l'Asie
prend les nôtres, et que nous en avions de fort bons avant
qu'on sût l'arithmétique en Chaldée.

— Vous êtes de grands ignorants tous autant que
vous êtes! s'écria le Grec : est-ce que vous ne savez pas
80 que le Chaos[1] est le père de tout, et que la forme et la
matière ont mis le monde dans l'état où il est? » Ce Grec
parla longtemps; mais il fut enfin interrompu par le
Celte[2], qui, ayant beaucoup bu pendant qu'on dispu-
tait, se crut alors plus savant que tous les autres, et dit en

---

1. Dans la cosmogonie grecque, confusion générale des éléments de l'univers avant
la création du monde. Voltaire juge incompatibles l'idée d'un chaos et celle d'une
Intelligence suprême qui est éternelle. — 2. C'est évidemment le type du « Français
moyen ».

● **L'universalisme religieux de Voltaire**

Si le déisme creuse un abîme infini entre l'homme et Dieu,
en revanche il resserre étroitement la communauté humaine.
Dépassant tous les particularismes qui divisent, limité à la
morale et à l'acte d'adoration (voir le chap. XI), il est le déno-
minateur commun religieux qui permet « d'abattre les cloi-
sons et de réconcilier les hommes » (R. Pomeau).
① Pourquoi Voltaire a-t-il placé cette conversation dans une
ville de foire? Étudier comment s'enchaînent les différents thèmes
abordés au cours de cette conversation, et comment les passions
s'échauffent progressivement. Montrer que chaque convive est
nettement caractérisé par son appartenance à une nation et
à une religion précises. Les religions cherchent-elles, au XXe siècle,
à s'unir ou à se rapprocher suivant les voies indiquées par Voltaire?

● **La critique indirecte de la Bible**

On est surpris, à juste titre, par l'absence d'un Juif dans une
ville où l'on fait du commerce et dans une conversation où l'on
parle de religion. L'omission n'est certes pas involontaire.
En raillant les prescriptions ou les interdictions alimentaires des
autres religions, c'est encore le *Deutéronome* que vise Voltaire.
De plus, l'exégèse biblique, au XVIIIe siècle, déterminait à
5 000 ans environ l'âge de l'humanité, en comptant les générations qui se sont succédé depuis Adam et Ève. C'est un
chiffre négligeable par rapport à celui des autres peuples.
L'escamotage du Juif est donc plus humiliant encore qu'une
nouvelle raillerie.

[85] jurant qu'il n'y avait que Teutath [1] et le gui de chêne qui
valussent la peine qu'on en parlât; que, pour lui, il avait
toujours du gui dans sa poche; que les Scythes [2], ses
ancêtres, étaient les seuls gens de bien qui eussent jamais
été au monde; qu'ils avaient, à la vérité, quelquefois
[90] mangé des hommes, mais que cela n'empêchait pas
qu'on ne dût avoir beaucoup de respect pour sa nation;
et qu'enfin, si quelqu'un parlait mal de Teutath, il lui
apprendrait à vivre. La querelle s'échauffa pour lors,
et Sétoc vit le moment où la table allait être ensanglantée.
[95] Zadig, qui avait gardé le silence pendant toute la dispute,
se leva enfin : il s'adressa d'abord au Celte, comme
au plus furieux; il lui dit qu'il avait raison, et lui demanda
du gui; il loua le Grec sur son éloquence, et adoucit
tous les esprits échauffés. Il ne dit que très peu de
[100] choses à l'homme du Cathay, parce qu'il avait été le
plus raisonnable de tous. Ensuite il leur dit : « Mes amis,
vous alliez vous quereller pour rien [3], car vous êtes tous
du même avis. » A ce mot, ils se récrièrent tous. « N'est-il pas
vrai, dit-il au Celte, que vous n'adorez pas ce gui, mais celui
[105] qui a fait le gui et le chêne? — Assurément, répondit le
Celte. — Et vous, Monsieur l'Égyptien, vous révérez
apparemment dans un certain bœuf celui qui vous a donné
les bœufs? — Oui, dit l'Égyptien. — Le poisson Oannès,
continua-t-il, doit céder à celui qui a fait la mer et les
[110] poissons? — D'accord, dit le Chaldéen. — L'Indien, ajouta-
t-il, et le Cathayen reconnaissent comme vous un premier
principe; je n'ai pas trop bien compris les choses admirables
que le Grec a dites, mais je suis sûr qu'il admet aussi
un Être supérieur, de qui la forme et la matière dépendent. »
[115] Le Grec, qu'on admirait, dit que Zadig avait très bien pris
sa pensée. « Vous êtes donc tous de même avis, répliqua
Zadig, et il n'y a pas là de quoi se quereller. » Tout le
monde l'embrassa. Sétoc, après avoir vendu fort cher ses
denrées, reconduisit son ami Zadig dans sa tribu. Zadig
[120] apprit en arrivant qu'on lui avait fait un procès en son
absence et qu'il allait être brûlé à petit feu.

---

1. Un des dieux gaulois, qu'on a assimilé à Mercure. Le *gui de chêne* était considéré à
la fois comme un porte-bonheur et un remède universel. — 2. Voltaire raille l'historien
Rollin qui faisait l'éloge des *Scythes*. — 3. C'est l'opinion de Voltaire, mais c'est précisément ce qu'il conviendrait de discuter.

CHAPITRE XIII

LES RENDEZ-VOUS

Pendant son voyage à Balzora, les prêtres des étoiles avaient résolu de le punir. Les pierreries et les ornements des jeunes veuves qu'ils envoyaient au bûcher leur appartenaient de droit ; c'était bien le moins qu'ils fissent brûler Zadig pour le mauvais tour qu'il leur avait joué. Ils accusèrent donc Zadig d'avoir des sentiments erronés sur l'armée céleste ; ils déposèrent contre lui, et jurèrent qu'ils lui avaient entendu dire que les étoiles ne se couchaient pas dans la mer. Ce blasphème effroyable fit frémir les juges ; ils furent prêts de déchirer leurs vêtements quand ils ouïrent des paroles impies, et ils l'auraient fait, sans doute, si Zadig avait eu de quoi les payer. Mais, dans l'excès de leur douleur, ils se contentèrent de le condamner à être brûlé à petit feu. Sétoc, désespéré, employa en vain son crédit pour sauver son ami ; il fut bientôt obligé de se taire. La jeune veuve Almona, qui avait pris beaucoup de goût à la vie et qui en avait obligation à Zadig, résolut de le tirer du bûcher, dont il lui avait fait connaître l'abus. Elle roula son dessein dans sa tête, sans en parler à personne. Zadig devait être exécuté le lendemain ; elle n'avait que la nuit pour le sauver : voici comment elle s'y prit en femme charitable et prudente.

Elle se parfuma ; elle releva sa beauté par l'ajustement le plus riche et le plus galant, et alla demander une audience secrète au chef des prêtres des étoiles. Quand elle fut devant ce vieillard vénérable, elle lui parla en ces termes : « Fils aîné de la grande ourse, frère du taureau, cousin du grand chien (c'étaient les titres de ce pontife), je viens vous confier mes scrupules. J'ai bien peur d'avoir commis un péché énorme en ne me brûlant pas dans le bucher de mon cher mari. En effet, qu'avais-je à conserver ? une chair périssable, et qui est déjà toute flétrie. » En disant ces paroles, elle tira de ses longues manches de soie, ses bras nus, d'une forme admirable et d'une blancheur éblouissante. « Vous voyez, dit-elle, le peu que cela vaut. » Le pontife trouva dans son cœur que cela valait beaucoup.

Ses yeux le dirent, et sa bouche le confirma; il jura qu'il
n'avait vu de sa vie de si beaux bras. « Hélas! lui dit la
40 veuve, les bras peuvent être un peu moins mal que le reste;
mais vous m'avouerez que la gorge n'était pas digne de
mes attentions. » Alors elle laissa voir le sein le plus char-
mant que la nature eût jamais formé. Un bouton de rose
sur une pomme d'ivoire n'eût paru auprès que de la
45 garance sur du buis, et les agneaux sortant du lavoir
auraient semblé d'un jaune brun. Cette gorge, ses grands
yeux noirs qui languissaient en brillant doucement d'un feu
tendre, ses joues animées de la plus belle pourpre mêlée au
blanc de lait le plus pur, son nez, qui n'était pas comme la
50 tour du mont Liban, ses lèvres, qui étaient comme deux bor-
dures de corail renfermant les plus belles perles de la
mer d'Arabie, tout cela ensemble fit croire au vieillard
qu'il avait vingt ans. Il fit en bégayant une déclaration
tendre. Almona, le voyant enflammé, lui demanda la
55 grâce de Zadig. « Hélas! dit-il, ma belle dame, quand je
vous accorderais sa grâce, mon indulgence ne servirait
de rien; il faut qu'elle soit signée de trois autres de mes
confrères. — Signez toujours, dit Almona. — Volontiers,
dit le prêtre, à condition que vos faveurs seront le prix
60 de ma facilité. — Vous me faites trop d'honneur, dit
Almona; ayez seulement pour agréable de venir dans
ma chambre après que le soleil sera couché, et dès que la
brillante étoile *Sheat* sera sur l'horizon: vous me trouverez
sur un sopha couleur de rose, et vous en userez comme
65 vous pourrez avec votre servante. » Elle sortit alors,
emportant avec elle la signature, et laissa le vieillard plein
d'amour et de défiance de ses forces. Il employa le reste
du jour à se baigner; il but une liqueur composée de la
cannelle de Ceylan et des précieuses épices de Tidor et
70 de Ternate, et attendit avec impatience que l'étoile *Sheat*
vint à paraître.

Cependant la belle Almona alla trouver le second pontife.
Celui-ci l'assura que le soleil, la lune et tous les feux du
firmament n'étaient que des feux follets en comparaison
75 de ses charmes. Elle lui demanda la même grâce, et on
lui proposa d'en donner le prix. Elle se laissa vaincre, et
donna rendez-vous au second pontife au lever de l'étoile
Algénib. De là, elle passa chez le troisième et chez le quatrième prêtre, prenant toujours une signature et donnant

⁸⁰ un rendez-vous d'étoile en étoile. Alors elle fit avertir les
juges de venir chez elle pour une affaire importante. Ils
s'y rendirent : elle leur montra les quatre noms, et leur dit
à quel prix les prêtres avaient vendu la grâce de Zadig.
Chacun d'eux arriva à l'heure prescrite; chacun fut bien
⁸⁵ étonné d'y trouver ses confrères, et plus encore d'y trouver
les juges, devant qui leur honte fut manifestée. Zadig fut
sauvé. Sétoc fut si charmé de l'habileté d'Almona qu'il en
fit sa femme. Zadig partit après s'être jeté aux pieds de
sa belle libératrice. Sétoc et lui se quittèrent en pleurant,
⁹⁰ en se jurant une amitié éternelle et en se promettant que le
premier des deux qui ferait une grande fortune en ferait
part à l'autre.

Zadig marcha du côté de la Syrie, toujours pensant à
la malheureuse Astarté, et toujours réfléchissant sur
⁹⁵ le sort qui s'obstinait à se jouer de lui et à le persécuter.
« Quoi! disait-il, quatre cents onces d'or pour avoir vu
passer une chienne! condamné à être décapité pour quatre
mauvais vers à la louange du roi! prêt à être étranglé parce
que la reine avait des babouches de la couleur de mon
¹⁰⁰ bonnet! réduit en esclavage pour avoir secouru une
femme qu'on battait; et sur le point d'être brûlé pour
avoir sauvé la vie à toutes les jeunes veuves Arabes! »

LA DANSE[1]

Sétoc devait aller, pour les affaires de son commerce,
dans l'île de Serendib [2]; mais le premier mois de son
mariage, qui est, comme on sait [3], la lune de miel, ne lui
permettait ni de quitter sa femme, ni de croire qu'il pût
⁵ jamais la quitter. Il pria son ami Zadig de faire pour lui
le voyage. « Hélas! disait Zadig, faut-il que je mette

---

1. Voltaire écrivit assez vraisemblablement à Berlin deux nouveaux chapitres de *Zadig* :
la Danse et *les Yeux bleus*, qu'il n'inséra jamais dans le roman (on ne les trouve pour la
première fois que dans l'édition posthume de Kehl, où ils étaient numérotés XIV et XV).
Dans ce refus d'éditer ces deux chapitres, n'entrent pas uniquement des considérations
d'ordre esthétique, mais probablement aussi des raisons sentimentales que nous ignorons.
Nous ne reproduisons que l'un des deux chapitres, à la place prévue, sans toutefois le
numéroter — 2. Ceylan. — 3. Voir chapitre III, 1. 2.

encore un plus vaste espace entre la belle Astarté et moi?
Mais il faut servir mes bienfaiteurs. » Il dit, il pleura, et il
partit.

10   Il ne fut pas longtemps dans l'île de Serendib sans y
être regardé comme un homme extraordinaire. Il devint
l'arbitre de tous les différends entre les négociants, l'ami
des sages, le conseil[1] du petit nombre de gens qui prennent
conseil. Le roi voulut le voir et l'entendre. Il connut bientôt
15 tout ce que valait Zadig; il eut confiance en sa sagesse,
et en fit son ami. La familiarité et l'estime du roi fit[2] trem-
bler Zadig. Il était, nuit et jour, pénétré du malheur que lui
avaient attiré les bontés de Moabdar. « Je plais au roi,
disait-il; ne serai-je pas perdu? » Cependant il ne pouvait
20 se dérober aux caresses de Sa Majesté : car il faut avouer
que Nabussan, roi de Serendib, fils de Nussanab, fils de
Nabussun, fils de Sanbusna[3], était un des meilleurs princes
de l'Asie, et que, quand on lui parlait, il était difficile de
ne le pas aimer.

25   Ce bon prince était toujours loué, trompé et volé :
c'était à qui pillerait ses trésors. Le receveur général de
l'île de Serendib donnait toujours cet exemple, fidèle-
ment suivi par les autres. Le roi le savait : il avait changé
de trésorier plusieurs fois; mais il n'avait pu changer
30 la mode établie de partager les revenus du roi en deux
moitiés inégales, dont la plus petite revenait toujours
à Sa Majesté, et la plus grosse aux administrateurs.

Le roi Nabussan confia sa peine au sage Zadig. « Vous
qui savez tant de belles choses, lui dit-il, ne sauriez-vous
35 point le moyen de me faire trouver un trésorier qui ne
me vole point? — Assurément, répondit Zadig, je sais
une façon infaillible de vous donner un homme qui ait
les mains nettes. » Le roi, charmé, lui demanda en l'em-
brassant comment il fallait s'y prendre. « Il n'y a, dit
40 Zadig, qu'à faire danser[4] tous ceux qui se présenteront
pour la dignité de trésorier, et celui qui dansera avec le
plus de légèreté sera infailliblement le plus honnête homme.
— Vous vous moquez, dit le roi : voilà une plaisante

---

1. Le conseiller. — 2. Accord avec le sujet le plus rapproché; peu fréquent chez Voltaire.
— 3. Souvenir plaisant (étudier les anagrammes) des énumérations généalogiques habi-
tuelles aux peuples orientaux, et fréquentes dans la *Bible*. — 4. Souvenir de Swift. *Voyage
à Lilliput*, chap. III.

façon de choisir un receveur de mes finances! Quoi! vous
45 prétendez que celui qui fera le mieux un entrechat[1] sera le
financier le plus intègre et le plus habile! — Je ne vous
réponds pas qu'il sera le plus habile, repartit Zadig; mais
je vous assure que ce sera indubitablement le plus honnête
homme. » Zadig parlait avec tant de confiance que le roi
50 crut qu'il avait quelque secret surnaturel pour connaître les
financiers. « Je n'aime pas le surnaturel, dit Zadig; les
gens et les livres à prodiges m'ont toujours déplu : si
Votre Majesté veut me laisser faire l'épreuve que je lui
propose, elle sera bien convaincue que mon secret est la
55 chose la plus simple et la plus aisée. » Nabussan, roi
de Serendib, fut bien plus étonné d'entendre que ce secret
était simple que si on le lui avait donné pour un miracle.
« Or bien, dit-il, faites comme vous l'entendrez. — Lais-
sez-moi faire, dit Zadig, vous gagnerez à cette épreuve
60 plus que vous ne pensez. » Le jour même il fit publier, au
nom du roi, que tous ceux qui prétendaient à l'emploi
de haut receveur des deniers de Sa Gracieuse[2] Majesté
Nabussan, fils de Nussanab, eussent à se rendre, en habits
de soie légère, le premier de la lune du Crocodile, dans
65 l'antichambre du roi. Ils s'y rendirent au nombre de
soixante et quatre. On avait fait venir des violons[3] dans
un salon voisin; tout était préparé pour le bal; mais la
porte de ce salon était fermée, et il fallait, pour y entrer,
passer par une petite galerie assez obscure. Un huissier
70 vint chercher et introduire chaque candidat, l'un après
l'autre, par ce passage dans lequel on le laissait seul quelques minutes. Le roi, qui avait le mot, avait étalé tous ses
trésors dans cette galerie. Lorsque tous les prétendants
furent arrivés dans le salon, Sa Majesté ordonna qu'on les
75 fît danser. Jamais on ne dansa plus pesamment et avec
moins de grâce; ils avaient tous la tête baissée, les reins
courbés, les mains collées à leurs côtés. « Quels fripons! »
disait tout bas Zadig. Un seul d'entre eux formait des pas
avec agilité, la tête haute, le regard assuré, les bras étendus,
80 le corps droit, le jarret ferme. « Ah! l'honnête homme!

1. Saut léger d'un danseur, avec battement des pieds. — 2. « Qui accorde des grâces;
le terme n'est usité en ce sens que comme titre de certains souverains » (Littré). — 3. Voir
chap. VI, p. 49, n. 1.

le brave homme! » disait Zadig. Le roi embrassa ce bon
danseur, le déclara trésorier, et tous les autres furent punis
et taxés avec la plus grande justice du monde : car chacun,
dans le temps qu'il avait été dans la galerie, avait rempli ses
85 poches et pouvait à peine marcher. Le roi fut fâché pour
la nature humaine que de ces soixante et quatre danseurs
il y eût soixante et trois filous. La galerie obscure fut
appelée *le Corridor de la tentation.* On aurait, en Perse,
empalé ces soixante et trois seigneurs ; en d'autres pays,
90 on eût fait une chambre de justice qui eût consommé
en frais le triple de l'argent volé, et qui n'eût rien remis
dans les coffres du souverain ; dans un autre royaume, ils
se seraient pleinement justifiés, et auraient fait disgrâcier
ce danseur si léger : à Serendib, ils ne furent condamnés
95 qu'à augmenter le trésor public, car Nabussan était fort
indulgent.

Il était fort reconnaissant ; il donna à Zadig une somme
d'argent plus considérable qu'aucun trésorier n'en avait
jamais volé au roi son maître. Zadig s'en servit pour en-
100 voyer des exprès à Babylone, qui devaient l'informer de la
destinée d'Astarté. Sa voix trembla en donnant cet ordre,
son sang reflua vers son cœur, ses yeux se couvrirent de
ténèbres, son âme fut prête à l'abandonner. Le courrier
partit, Zadig le vit embarquer ; il rentra chez le roi, ne
105 voyant personne, croyant être dans sa chambre, et prononçant le nom d'amour. « Ah ! l'amour, dit le roi ; c'est
précisément ce dont il s'agit ; vous avez deviné ce qui fait
ma peine. Que vous êtes un grand homme ! j'espère que
vous m'apprendrez à connaître une femme à toute épreuve,
110 comme vous m'avez fait trouver un trésorier désin-
téressé. » Zadig, ayant repris sens, lui promit de le servir en amour comme en finance, quoique la chose parut
plus difficile encore.

---

1. En France, en 1625, en 1661 contre Fouquet, et en 1715, on organisa des Chambres
de justice, chargées d'enquêter sur les fortunes abusives amassées par les financiers.

CHAPITRE XIV

LE BRIGAND

En arrivant aux frontières qui séparent l'Arabie Pétrée
de la Syrie, comme il passait près d'un château assez
fort[1], des Arabes armés en sortirent. Il se vit entouré;
on lui criait : « Tout ce que vous avez nous appartient,
et votre personne appartient à notre maître. » Zadig pour
réponse tira son épée; son valet, qui avait du courage, en
fit autant. Ils renversèrent morts les premiers Arabes qui
mirent la main sur eux; le nombre redoubla; ils ne s'éton-
nèrent point, et résolurent de périr en combattant. On
voyait deux hommes se défendre contre une multitude;
un tel combat ne pouvait durer longtemps. Le maître du
château, nommé Arbogad[2], ayant vu d'une fenêtre les

---

1. Très fortifié. Sorte de citadelle qui, dans le Maghreb porte le nom de Kasbah, et dont
le Krak des Chevaliers, en Syrie, peut donner une idée. — 2. Voltaire, semble-t-il, a ajouté
un suffixe *ad* (cf. *Bagd-ad*) à un radical grec *Harpag*, qu'il arabise à sa manière. *Arbogad*
signifierait ainsi : le « ravisseur », le « rapace », nom qui convient fort bien au *maître du
château* : voir p. 82, l. 21-24.

Krak des Chevaliers

prodiges de valeur que faisait Zadig, conçut de l'estime
pour lui. Il descendit en hâte, et vint lui-même écarter ses
15 gens et délivrer les deux voyageurs. « Tout ce qui passe
sur mes terres est à moi, dit-il, aussi bien que ce que je trouve
sur les terres des autres; mais vous me paraissez un si brave [1]
homme que je vous exempte de la loi commune. » Il le fit
entrer dans son château, et, le soir, Arbogad voulut souper
20 avec Zadig.

Le seigneur du château était un de ces Arabes qu'on
appelle *voleurs;* mais il faisait quelquefois de bonnes
actions parmi une foule de mauvaises : il volait avec
une rapacité furieuse, et donnait libéralement; intrépide
25 dans l'action, assez doux dans le commerce, débauché à
table, gai dans la débauche, et surtout plein de franchise.
Zadig lui plut beaucoup; sa conversation, qui s'anima,
fit durer le repas; enfin Arbogad lui dit : « Je vous conseille
de vous enrôler sous moi [2]; vous ne sauriez mieux faire;
30 ce métier-ci n'est pas mauvais; vous pourrez un jour devenir
ce que je suis. — Puis-je vous demander, dit Zadig, depuis
quel temps vous exercez cette noble profession? — Dès ma
plus tendre jeunesse, reprit le seigneur. J'étais valet d'un
Arabe assez habile; ma situation m'était insupportable.
35 J'étais au désespoir de voir que dans toute la terre, qui
appartient également aux hommes, la destinée ne m'eût
pas réservé ma portion. Je confiai mes peines à un vieil
Arabe, qui me dit : « Mon fils, ne désespérez pas : il y
» avait autrefois un grain de sable [3] qui se lamentait
40 » d'être un atome ignoré dans les déserts; au bout de
» quelques années il devint diamant, et il est à présent
» le plus bel ornement de la couronne du roi des Indes. »
Ce discours me fit impression : j'étais le grain de sable,
je résolus de devenir diamant. Je commençai par voler
45 deux chevaux; je m'associai des camarades; je me mis en
état de voler de petites caravanes : ainsi je fis cesser peu à
peu la disproportion qui était d'abord entre les hommes
et moi. J'eus ma part aux biens de ce monde, et je fus même
dédommagé avec usure : on me considéra beaucoup; je
50 devins seigneur brigand, j'acquis ce château par voie de

---

1. Courageux. — 2. Tout ce chapitre rappelle à la fois les aventures de Gil Blas de
Santillane (livre I, chap. 5 à 10) et les exploits d'un certain Abdallah qui, en 1746, après
s'être enrichi en pillant des caravanes, avait levé des troupes et se trouvait sur le point de
conquérir l'Hindoustan. — 3. L'anecdote est fort répandue en Orient.

fait [1]. Le satrape [2] de Syrie voulut m'en déposséder; mais j'étais déjà trop riche pour avoir rien à craindre : je donnai de l'argent au satrape, moyennant quoi je conservai ce château, et j'agrandis mes domaines; il me nomma même
55 trésorier des tributs que l'Arabie Pétrée payait au roi des rois. Je fis ma charge de receveur, et point du tout celle de payeur.

» Le grand Desterham [3] de Babylone envoya ici, au nom du roi Moabdar, un petit satrape pour me faire
60 étrangler. Cet homme arriva avec son ordre : j'étais instruit de tout; je fis étrangler en sa présence les quatre personnes qu'il avait amenées avec lui pour serrer le lacet; après quoi je lui demandai ce que pouvait lui valoir la commission de m'étrangler. Il me répondit que ses hono-
65 raires pouvaient aller à trois cents pièces d'or. Je lui fis

---

1. Par la violence. — 2. Gouverneur d'une province en Perse. — 3. Voir p. 35, note 2.

● **Le brigand**

La rencontre d'Arbogad confirme le doute qui avait déjà assailli Zadig (chap. VIII, l. 148-152) et l'achemine progressivement vers la révolte ouverte contre la Providence (chap. XVII, l. 157-159). Cependant Arbogad n'est pas foncièrement mauvais. Avant d'être brigand, il a été, comme le pêcheur (chap. XV), victime de l'iniquité répandue dans la société. Mais, contrairement à lui, il a préféré se faire justice lui-même, en usant à l'égard de la société des mêmes procédés dont elle usait envers lui. A sa manière, à la fois cynique et naïve, en aggravant le désordre qui règne dans le monde, il dénonce ce désordre qui est à l'origine de sa protestation. Que change l'ordre de la société, et Arbogad pourra peut-être redevenir un homme honnête (chap. XIX, l. 94-97).

① Comment Voltaire a-t-il rendu Arbogad sympathique (les qualités naturelles qu'il lui prête, le ton avec lequel il le fait parler, le rappel de son enfance, son cynisme tempéré de naïveté...)? Quelles sont les idées d'Arbogad auxquelles Voltaire souscrit, et celles qu'il réprouve? Y a-t-il une contradiction entre l'insolent bonheur d'Arbogad et l'affirmation de l'ange Jesrad (p. 108, l. 185-186) : *Les méchants sont toujours malheureux?*
② Discuter et commenter cette opinion de M. Henri Guillemin (*La Table ronde*, février 1958), qui cite Voltaire lui-même :
« En 1778, Voltaire aura en chiffres ronds 50 millions de rente. Parti de rien, je suis *parvenu*, dit-il en propres termes, *à vivre comme un fermier général* ; et *par quel art?*. Réponse : parce qu'*il faut être en France enclume ou marteau* et qu'il a su choisir le bon côté, celui qui écrase. »

voir clair qu'il y aurait plus à gagner avec moi. Je le fis
sous-brigand; il est aujourd'hui un de mes meilleurs
officiers et des plus riches. Si vous m'en croyez, vous
réussirez comme lui. Jamais la saison de voler n'a été meil-
70 leure, depuis que Moabdar est tué et que tout est confusion
dans Babylone.
   — Moabdar est tué! dit Zadig; et qu'est devenue
la reine Astarté? — Je n'en sais rien, reprit Arbogad.
Tout ce que je sais, c'est que Moabdar est devenu fou,
75 qu'il a été tué, que Babylone est un grand coupe-gorge,
que tout l'empire est désolé, qu'il y a de beaux coups à
faire encore, et que pour ma part j'en ai fait d'admirables. — Mais la reine? dit Zadig; de grâce, ne savez-
vous rien de la destinée de la reine? — On m'a parlé
80 d'un prince d'Hyrcanie, reprit-il; elle est probablement
parmi ses concubines, si elle n'a pas été tuée dans le
tumulte; mais je suis plus curieux de butin que de nouvelles. J'ai pris plusieurs femmes dans mes courses [1]; je
n'en garde aucune; je les vends cher quand elles sont
85 belles, sans m'informer de ce qu'elles sont. On n'achète
point le rang; une reine qui serait laide ne trouverait
pas marchand [2]; peut-être ai-je vendu la reine Astarté,
peut-être est-elle morte; mais peu importe, et je pense
que vous ne devez pas vous en soucier plus que moi. » En
90 parlant ainsi il buvait avec tant de courage, il confondait
tellement toutes les idées, que Zadig n'en put tirer aucun
éclaircissement.
   Il restait interdit, accablé, immobile. Arbogad buvait
toujours, faisait des contes, répétait sans cesse qu'il
95 était le plus heureux de tous les hommes, exhortant
Zadig à se rendre aussi heureux que lui. Enfin, doucement assoupi par les fumées du vin, il alla dormir d'un
sommeil tranquille. Zadig passa la nuit dans l'agitation la plus violente. « Quoi! disait-il, le roi est devenu
100 fou! il est tué! Je ne peux m'empêcher de le plaindre.
L'empire est déchiré, et ce brigand est heureux : ô fortune! ô destinée! un voleur est heureux, et ce que la nature
a fait de plus aimable a péri peut-être d'une manière

---

1. *Course :* « acte d'hostilité que l'on fait en courant les mers ou en entrant dans le
pays ennemi » (*Dict. de l'Académie*). Le mot propre serait : razzia. — 2. Acquéreur aussi
bien que vendeur.

affreuse, ou vit dans un état pire que la mort. O Astarté!
105 qu'êtes-vous devenue? »

Dès le point du jour il interrogea tous ceux qu'il rencontrait dans le château; mais tout le monde était occupé,
personne ne lui répondit : on avait fait pendant la nuit
de nouvelles conquêtes, on partageait les dépouilles. Tout
110 ce qu'il put obtenir dans cette confusion tumultueuse, ce
fut la permission de partir. Il en profita sans tarder, plus
abîmé que jamais dans ses réflexions douloureuses.

Zadig marchait inquiet, agité, l'esprit tout occupé
de la malheureuse Astarté, du roi de Babylone, de son
115 fidèle Cador, de l'heureux brigand Arbogad, de cette
femme si capricieuse que des Babyloniens avaient enlevée
sur les confins de l'Égypte, enfin de tous les contretemps
et de toutes les infortunes qu'il avait éprouvés.

CHAPITRE XV

LE PÊCHEUR

A quelques lieues du château d'Arbogad il se trouva
sur le bord d'une petite rivière, toujours déplorant sa
destinée et se regardant comme le modèle du malheur.
Il vit un pêcheur couché sur la rive, tenant à peine [1] d'une
5 main languissante son filet, qu'il semblait abandonner,
et levant les yeux vers le ciel.

« Je suis certainement le plus malheureux de tous
les hommes, disait le pêcheur. J'ai été, de l'aveu de tout
le monde, le plus célèbre marchand de fromages à la
10 crème dans Babylone, et j'ai été ruiné. J'avais la plus
jolie femme qu'homme de ma sorte pût posséder, et
j'en ai été trahi. Il me restait une chétive maison, je l'ai
vue pillée et détruite. Réfugié dans une cabane, je n'ai
de ressource que ma pêche, et je ne prends pas un poisson.
15 O mon filet, je ne te jetterai plus dans l'eau, c'est à moi

---

1. Tenant mal.

de m'y jeter. » En disant ces mots il se lève et s'avance,
dans l'attitude d'un homme qui allait se précipiter et
finir sa vie.

« Eh quoi! se dit Zadig à lui-même, il y a donc des
20 hommes aussi malheureux que moi! » L'ardeur de sauver
la vie au pêcheur fut aussi prompte que cette réflexion.
Il court à lui, il l'arrête, il l'interroge d'un air attendri et
consolant. On prétend qu'on en est moins malheureux
quand on ne l'est pas seul; mais, selon Zoroastre, ce n'est
25 pas par malignité, c'est par besoin. On se sent alors
entraîné vers un infortuné comme vers son semblable.
La joie d'un homme heureux serait une insulte; mais deux
malheureux sont comme deux arbrisseaux faibles qui,
s'appuyant l'un sur l'autre, se fortifient contre l'orage.

30   « Pourquoi succombez-vous à vos malheurs? dit Zadig
au pêcheur. — C'est, répondit-il, parce que je n'y vois
pas de ressource. J'ai été le plus considéré du village de
Derlback [1] auprès de Babylone, et je faisais, avec l'aide
de ma femme, les meilleurs fromages à la crème de l'empire.
35 La reine Astarté et le fameux ministre Zadig les aimaient
passionnément. J'avais fourni à leurs maisons six cents
fromages. J'allai un jour à la ville pour être payé; j'appris,
en arrivant dans Babylone, que la reine et Zadig avaient
disparu. Je courus chez le seigneur Zadig, que je n'avais
40 jamais vu : je trouvai les archers du grand Desterham [2],
qui, munis d'un papier royal, pillaient sa maison loyale-
ment [3] et avec ordre. Je volai aux cuisines de la reine :
quelques-uns des seigneurs de la bouche me dirent qu'elle
était morte; d'autres dirent qu'elle était en prison; d'autres
45 prétendirent qu'elle avait pris la fuite; mais tous m'assu-
rèrent qu'on ne me payerait point mes fromages. J'allai avec
ma femme chez le seigneur Orcan [4], qui était une de mes
pratiques [5] : nous lui demandâmes sa protection dans
notre disgrâce; il l'accorda à ma femme, et me la refusa.
50 Elle était plus blanche que ces fromages à la crème, qui
commencèrent mon malheur; et l'éclat de la pourpre
de Tyr n'était pas plus brillant que l'incarnat qui animait
cette blancheur. C'est ce qui fit qu'Orcan la retint, et me

---

1. Ascoli suppose que ce nom, inconnu des géographes, pourrait être une déformation de
Diarbek ou *Deirbekr*, capitale de la région occidentale de la Mésopotamie. — 2. Voir
p. 35, note 2. — 3. Légalement. — 4. Voir p. 28, note 3. — 5. Acheteurs, clients.

chassa de sa maison. J'écrivis à ma chère femme la lettre
55 d'un désespéré. Elle dit au porteur : « Ah, ah! oui! je sais
» quel est l'homme qui m'écrit, j'en ai entendu parler :
» on dit qu'il fait des fromages à la crème excellents;
» qu'on m'en apporte, et qu'on les lui paye. »

» Dans mon malheur, je voulus m'adresser à la justice.
60 Il me restait six onces d'or : il fallut en donner deux onces
à l'homme de loi que je consultai, deux au procureur
qui entreprit mon affaire, deux au secrétaire du premier
juge. Quand tout cela fut fait, mon procès n'était pas
encore commencé, et j'avais déjà dépensé plus d'argent
65 que mes fromages et ma femme ne valaient. Je retournai
à mon village dans l'intention de vendre ma maison pour
avoir ma femme.

» Ma maison valait bien soixante onces d'or; mais
on me voyait pauvre et pressé de vendre. Le premier à
70 qui je m'adressai m'en offrit trente onces, le second
vingt, et le troisième dix. J'étais prêt enfin de [1] conclure
tant. j'étais aveuglé, lorsqu'un prince d'Hyrcanie vint à
Babylone et ravagea tout sur son passage. Ma maison
fut d'abord saccagée, et ensuite brûlée.
75 » Ayant ainsi perdu mon argent, ma femme et ma
maison, je me suis retiré dans ce pays où vous me voyez.
J'ai tâché de subsister du métier de pêcheur; les poissons se moquent de moi comme les hommes. Je ne prends
rien, je meurs de faim; et sans vous, auguste consolateur,
80 j'allais mourir dans la rivière. »

Le pêcheur ne fit point ce récit tout de suite [2] : car à tout
moment Zadig, ému et transporté, lui disait : « Quoi!
vous ne savez rien de la destinée de la reine? — Non,
Seigneur, répondait le pêcheur; mais je sais que la reine
85 et Zadig ne m'ont point payé mes fromages à la crème,
qu'on a pris ma femme, et que je suis au désespoir. — Je
me flatte [3], dit Zadig, que vous ne perdrez pas tout votre
argent. J'ai entendu parler de ce Zadig; il est honnête
homme; et s'il retourne à Babylone, comme il l'espère,
90 il vous donnera plus qu'il ne vous doit; mais pour votre
femme, qui n'est pas si honnête, je vous conseille de ne
pas chercher à la reprendre. Croyez-moi, allez à Babylone;
j'y serai avant vous, parce que je suis à cheval et que vous

---

1. Voir p. 70, note 7. — 2. D'une seule traite. — 3. J'aime à croire.

êtes à pied. Adressez-vous à l'illustre Cador; dites-lui que
95 vous avez rencontré son ami; attendez-moi chez lui. Allez;
peut-être ne serez-vous pas toujours malheureux. O
puissant Orosmade![1] continua-t-il, vous vous servez de
moi pour consoler cet homme; de qui vous servirez-vous
pour me consoler? » En parlant ainsi il donnait au pêcheur
100 la moitié de tout l'argent qu'il avait apporté d'Arabie, et le
pêcheur, confondu et ravi, baisait les pieds de l'ami de
Cador, et disait : « Vous êtes un ange sauveur. »

Cependant Zadig demandait toujours des nouvelles
et versait des larmes. « Quoi! Seigneur, s'écria le pêcheur,
105 vous seriez donc aussi malheureux, vous qui faites du
bien? — Plus malheureux que toi cent fois, répondait
Zadig. — Mais comment se peut-il faire, disait le bon-
homme [2], que celui qui donne soit plus à plaindre que celui
qui reçoit? — C'est que ton plus grand malheur, reprit
110 Zadig, était le besoin, et que je suis infortuné par le cœur.
— Orcan vous aurait-il pris votre femme? » dit le pêcheur.
Ce mot rappela dans l'esprit de Zadig toutes ses aventures :

---

1. Voir p. 35, note 5. — 2. Homme simple et doux.

- ● **Le pêcheur**
  ' Le spectacle déjà révoltant d'un brigand heureux est renforcé
  par celui, plus scandaleux encore, d'un innocent pêcheur persécuté
  par le destin.
  Ce chapitre fut ajouté en 1748, après la découverte de la liaison
  de Mme du Châtelet et du poète Saint-Lambert. Le pessimisme de
  Voltaire s'accentue. Il est vraisemblable que l'accent mélancolique
  du pêcheur reflète l'amertume qu'éprouva Voltaire. Rarement
  il a manifesté une sympathie aussi profonde pour l'un de ses
  personnages que pour le pêcheur, et jamais Zadig n'a été aussi
  accessible à la pitié. « Pour la première fois Zadig a l'idée d'une
  communauté des êtres dans la souffrance, et c'est ce jour-là,
  celui où il pense le moins à lui-même, qu'il est le plus près du
  désespoir » (Mauzi).
  ① Dans quelle mesure les malheurs du pêcheur sont-ils compa-
  rables à ceux de Zadig? Auquel d'entre eux Zadig est-il particulièrement sensible? Ne simplifie-t-il pas cependant le désespoir du pêcheur? (l. 104-110).
  ② Le rire garde ses droits, mais il est triste. Analyser comment,
  dans ce chapitre, comique et pathétique se mêlent. Comparer
  avec certaines scènes de Molière et avec les grands films de
  Chaplin.

il répétait la liste de ses infortunes, à commencer depuis la
chienne de la reine jusqu'à son arrivée chez le brigand
115 Arbogad. « Ah! dit-il au pêcheur, Orcan mérite d'être puni.
Mais d'ordinaire ce sont ces gens-là qui sont les favoris
de la destinée. Quoi qu'il en soit, va chez le seigneur
Cador, et attends-moi. » Ils se séparèrent : le pêcheur
marcha en remerciant son destin, et Zadig courut en
120 accusant toujours le sien.

CHAPITRE XVI

LE BASILIC

Arrivé dans une belle prairie, il y vit plusieurs femmes
qui cherchaient quelque chose avec beaucoup d'application. Il prit la liberté de s'approcher de l'une d'elles
et de lui demander s'il pouvait avoir l'honneur de les
5 aider dans leurs recherches. « Gardez-vous-en bien,
répondit la Syrienne; ce que nous cherchons ne peut être
touché que par des femmes. — Voilà qui est bien étrange,
dit Zadig; oserai-je vous prier de m'apprendre ce que c'est
qu'il n'est permis qu'aux femmes de toucher? — C'est
10 un basilic [1], dit-elle. — Un basilic, Madame! et pour
quelle raison, s'il vous plaît, cherchez-vous un basilic?
— C'est pour notre seigneur et maître Ogul [2], dont vous voyez
le château sur le bord de cette rivière, au bout de la prairie.
Nous sommes ses très humbles esclaves; le seigneur Ogul
15 est malade; son médecin lui a ordonné de manger un basilic
cuit dans l'eau-rose [3], et comme c'est un animal fort rare,
qui ne se laisse jamais prendre que par des femmes, le
seigneur Ogul a promis de choisir pour sa femme bien-
aimée [4] celle de nous qui lui apporterait un basilic : lais-

---

1. Serpent fabuleux dont le regard, sélectivement assassin, tuait tout être vivant, à
l'exception des femmes. — 2. Mot turc qui signifie : fils. Mais Voltaire a vraisemblablement
dû l'adopter parce qu'il est l'anagramme du mot latin *gulo* (= le glouton). — 3. Liqueur
obtenue par la distillation des roses. — 4. Épithète de nature, qui n'engage nullement les
sentiments d'Ogul. Voir p. 67, l. 37.

[20] sez-moi chercher, s'il vous plaît, car vous voyez ce qu'il
m'en coûterait si j'étais prévenue [1] par mes compagnes. »
    Zadig laissa cette Syrienne et les autres chercher leur
basilic, et continua de marcher dans la prairie. Quand
il fut au bord d'un petit ruisseau, il y trouva une autre
[25] dame couchée sur le gazon, et qui ne cherchait rien. Sa
taille paraissait majestueuse, mais son visage était couvert
d'un voile. Elle était penchée vers le ruisseau; de profonds
soupirs sortaient de sa bouche. Elle tenait en main une
petite baguette, avec laquelle elle traçait des caractères
[30] sur un sable fin qui se trouvait entre le gazon et le ruisseau.
Zadig eut la curiosité de voir ce que cette femme écrivait;
il s'approcha, il vit la lettre Z, puis un A; il fut étonné;
puis parut un D : il tressaillit. Jamais surprise ne fut égale
à la sienne, quand il vit les deux dernières lettres de son nom.
[35] Il demeura quelque temps immobile; enfin, rompant le
silence d'une voix entrecoupée : « O généreuse [2] dame!
pardonnez à un étranger, à un infortuné, d'oser vous
demander par quelle aventure étonnante je trouve ici
le nom de ZADIG tracé de votre main divine. » A cette
[40] voix, à ces paroles, la dame releva son voile d'une main
tremblante, regarda Zadig, jeta un cri d'attendrissement,
de surprise et de joie, et, succombant sous tous les mouvements divers qui assaillaient à la fois son âme, elle tomba
évanouie entre ses bras. C'était Astarté elle-même, c'était
[45] la reine de Babylone, c'était celle que Zadig adorait, et qu'il
se reprochait d'adorer; c'était celle dont il avait tant pleuré
et tant craint la destinée. Il fut un moment privé de l'usage
de ses sens; et quand il eut attaché ses regards sur les yeux
d'Astarté qui se rouvraient avec une langueur mêlée de
[50] confusion et de tendresse : « O puissances immortelles!
s'écria-t-il, qui présidez aux destins des faibles humains,
me rendez-vous Astarté? En quel temps, en quels lieux,
en quel état la revois-je! » Il se jeta à genoux devant Astarté,
et il attacha son front à la poussière de ses pieds. La
[55] reine de Babylone le relève et le fait asseoir auprès d'elle
sur le bord de ce ruisseau; elle essuyait à plusieurs reprises
ses yeux dont les larmes recommençaient toujours à
couler. Elle reprenait vingt fois des discours que ses gémissements interrompaient; elle l'interrogeait sur le hasard

---

1. Devancée : voir plus loin, l. 60. — 2. Noble.

⁶⁰ qui les rassemblait, et prévenait soudain ses réponses par
d'autres questions. Elle entamait le récit de ses malheurs,
et voulait savoir ceux de Zadig. Enfin, tous deux ayant
apaisé le tumulte de leurs âmes, Zadig lui conta en peu
de mots par quelle aventure il se trouvait dans cette prairie.

⁶⁵ « Mais, ô malheureuse et respectable reine! comment
vous retrouvé-je en ce lieu écarté, vêtue en esclave, et
accompagnée d'autres femmes esclaves qui cherchent un
basilic pour le faire cuire dans de l'eau-rose par ordonnance
du médecin? — Pendant qu'elles cherchent leur basilic,
⁷⁰ dit la belle Astarté, je vais vous apprendre tout ce que j'ai
souffert, et tout ce que je pardonne au Ciel depuis que je
vous revois. Vous savez que le roi mon mari trouva mauvais
que vous fussiez le plus aimable de tous les hommes; et
ce fut pour cette raison qu'il prit une nuit la résolution
⁷⁵ de vous faire étrangler et de m'empoisonner. Vous savez
comme le Ciel permit que mon petit muet m'avertît de
l'ordre de Sa Sublime Majesté. A peine le fidèle Cador
vous eut-il forcé de m'obéir et de partir qu'il osa entrer
chez moi au milieu de la nuit par une issue secrète[1]. Il
⁸⁰ m'enleva, et me conduisit dans le temple d'Orosmade,
où le mage, son frère, m'enferma dans une statue colos-
sale dont la base touche aux fondements du temple et
dont la tête atteint la voûte. Je fus là comme ensevelie,
mais servie par le mage et ne manquant d'aucune chose
⁸⁵ nécessaire. Cependant, au point du jour, l'apothicaire
de Sa Majesté entra dans ma chambre avec une potion
mêlée de jusquiame, d'opium, de ciguë, d'ellébore noir
et d'aconit; et un autre officier alla chez vous avec un
lacet de soie bleue. On ne trouva personne. Cador, pour
⁹⁰ mieux tromper le roi, feignit de venir nous accuser tous
deux. Il dit que vous aviez pris la route des Indes, et moi
celle de Memphis[2] : on envoya des satellites après vous
et après moi.

» Les courriers qui me cherchaient ne me connaissaient
⁹⁵ pas. Je n'avais presque jamais montré mon visage qu'à

---

1. A moins qu'Astarté elle-même n'ait appris à Cador l'existence de cette *issue secrète*
— ce qui n'est pas croyable — jamais il n'aurait pu la découvrir seul, si Voltaire ne lui
avait facilité la tâche et si l'Orient du xviiiᵉ siècle n'autorisait la plus grande fantaisie. —
2. Malavisé Cador! C'était la meilleure manière de mettre les courriers du roi sur la trace
de Zadig (voir p. 58, l. 125-126); on douterait presque qu'*un ami vaut mieux que cent
prêtres* (p. 38, l. 23). Mais cette inadvertance de Cador permet à Voltaire de donner une
suite à la carrière prometteuse de Missouf.

vous seul, en présence et par ordre de mon époux[1]. Ils
coururent à ma poursuite, sur le portrait qu'on leur
faisait de ma personne : une femme de la même taille que
moi, et qui peut-être avait plus de charmes, s'offrit à
100 leurs regards sur les frontières d'Égypte. Elle était éplorée,
errante. Ils ne doutèrent pas que cette femme ne fût la
reine de Babylone; ils la menèrent à Moabdar. Leur
méprise fit entrer d'abord le roi dans une violente colère;
mais bientôt, ayant considéré de plus près cette femme,
105 il la trouva belle, et fut consolé. On l'appelait Missouf.
On m'a dit depuis que ce nom signifie en langue égyptienne
la Belle Capricieuse. Elle l'était en effet; mais elle avait
autant d'art que de caprice. Elle plut à Moabdar. Elle le
subjugua au point de se faire déclarer sa femme. Alors son
110 caractère se développa tout entier; elle se livra sans crainte
à toutes les folies de son imagination. Elle voulut obliger
le chef des mages, qui était vieux et goutteux, de danser
devant elle; et, sur le refus du mage, elle le persécuta
violemment. Elle ordonna à son grand écuyer de lui faire
115 une tourte de confitures. Le grand écuyer eut beau lui
représenter qu'il n'était point pâtissier, il fallut qu'il fît la
tourte; et on le chassa parce qu'elle était trop brûlée. Elle
donna la charge de grand écuyer à son nain, et la place de
chancelier à un page. C'est ainsi qu'elle gouverna Baby-
120 lone. Tout le monde me regrettait. Le roi, qui avait été
assez honnête homme jusqu'au moment où il avait voulu
m'empoisonner et vous faire étrangler, semblait avoir
noyé ses vertus dans l'amour prodigieux qu'il avait
pour la belle capricieuse. Il vint au temple le grand jour
125 du feu sacré[2]. Je le vis implorer les dieux pour Missouf
aux pieds de la statue où j'étais enfermée. J'élevai la voix;
je lui criai : « Les Dieux refusent les vœux d'un roi devenu
» tyran, qui a voulu faire mourir une femme raisonnable
» pour épouser une extravagante[3]. » Moabdar fut confondu
130 de ces paroles au point que sa tête se troubla. L'oracle que
j'avais rendu et la tyrannie de Missouf suffisaient pour lui
faire perdre le jugement. Il devint fou en peu de jours.

» Sa folie, qui parut un châtiment du Ciel, fut le signal
de la révolte. On se souleva, on courut aux armes. Babylone,

---

1. Voir p. 55, note 1. — 2. Voir p. 51, note 4. — 3. Voltaire pensait que les oracles des
Grecs et des Romains n'étaient que des impostures de ce genre.

[135] si longtemps plongée dans une mollesse oisive, devint le théâtre d'une guerre civile affreuse. On me tira du creux de ma statue, et on me mit à la tête d'un parti. Cador courut à Memphis pour vous ramener à Babylone. Le prince d'Hyrcanie, apprenant ces funestes nouvelles,
[140] revint avec son armée faire un troisième parti dans la Chaldée. Il attaqua le roi, qui courut au-devant de lui avec son extravagante Égyptienne. Moabdar mourut percé de coups. Missouf tomba aux mains du vainqueur. Mon malheur voulut que je fusse prise moi-même par un parti
[145] hyrcanien, et qu'on me menât devant le prince précisément dans le temps qu'on lui amenait Missouf. Vous serez flatté, sans doute, en apprenant que le prince me trouva plus belle que l'Égyptienne ; mais vous serez fâché d'apprendre qu'il me destina à son sérail. Il me dit fort résolu-
[150] ment que, dès qu'il aurait fini une expédition militaire qu'il allait exécuter, il viendrait à moi. Jugez de ma douleur. Mes liens avec Moabdar étaient rompus, je pouvais être à Zadig ; et je tombais dans les chaînes de ce barbare ! Je lui répondis avec toute la fierté que
[155] me donnaient mon rang et mes sentiments. J'avais toujours entendu dire que le Ciel attachait aux personnes de ma sorte un caractère de grandeur qui, d'un mot et d'un coup d'œil, faisait rentrer dans l'abaissement du plus profond respect les téméraires qui osaient s'en écarter.
[160] Je parlai en reine, mais je fus traitée en demoiselle suivante. L'Hyrcanien, sans daigner seulement m'adres-ser la parole, dit à son eunuque noir que j'étais une impertinente, mais qu'il me trouvait jolie. Il lui ordonna d'avoir soin de moi et de me mettre au régime des favorites,
[165] afin de me rafraîchir le teint et de me rendre plus digne de ses faveurs le jour où il aurait la commodité de m'en honorer. Je lui dis que je me tuerais ; il répliqua en riant qu'on ne se tuait point, qu'il était fait à ces façons-là, et me quitta comme un homme qui vient de mettre un perro-
[170] quet dans sa ménagerie[1]. Quel état pour la première reine de l'univers, et, je dirai plus, pour un cœur qui était à Zadig ! »

A ces paroles, il se jeta à ses genoux et les baigna de

---

1. « Dans les maisons des princes, on appelle *ménagerie* le lieu où ils tiennent des ani-maux étranges et rares » (*Dict. de l'Académie*).

larmes. Astarté le releva tendrement, et elle continua
175 ainsi : « Je me voyais au pouvoir d'un barbare et rivale
d'une folle avec qui j'étais enfermée. Elle me raconta
son aventure d'Égypte. Je jugeai par les traits dont elle
vous peignait, par le temps, par le dromadaire sur lequel
vous étiez monté, par toutes les circonstances, que c'était
180 Zadig qui avait combattu pour elle. Je ne doutai pas que
vous ne fussiez à Memphis; je pris la résolution de m'y
retirer. « Belle Missouf, lui dis-je, vous êtes beaucoup
» plus plaisante que moi, vous divertirez bien mieux
» que moi le prince d'Hyrcanie. Facilitez-moi les moyens
185 » de me sauver; vous régnerez seule, vous me rendrez
» heureuse en vous débarrassant d'une rivale. » Missouf
concerta avec moi les moyens de ma fuite. Je partis donc
secrètement avec une esclave égyptienne.
» J'étais déjà près de l'Arabie, lorsqu'un fameux
190 voleur, nommé Arbogad, m'enleva, et me vendit à des
marchands qui m'ont amenée dans ce château, où demeure
le seigneur Ogul. Il m'a achetée sans savoir qui j'étais.
C'est un homme voluptueux qui ne cherche qu'à faire
grande chère, et qui croit que Dieu l'a mis au monde pour
195 tenir table. Il est d'un embonpoint excessif, qui est toujours prêt à le suffoquer. Son médecin, qui n'a que peu de
crédit auprès de lui quand il digère bien, le gouverne despo-
tiquement quand il a trop mangé. Il lui a persuadé qu'il le

● **Le basilic**

L'intrigue sentimentale — laissée en suspens à la fin du chapitre VIII — revient au premier plan.
① Montrer que, malgré la séparation de Zadig et d'Astarté,
le roman d'amour n'avait cessé de se poursuivre.
② Le récit d'Astarté n'émeut guère. Voltaire parodie, stylise,
semble s'amuser et ne tient pas à créer l'illusion de la réalité.
Le montreur de marionnettes ne se contente pas d'agiter ses
poupées, il les fait parler, et c'est sa voix — fluette à souhait —
qui fait naître le rire. A quels détails précis reconnaît-on que
c'est Voltaire qui parle par la bouche d'Astarté?
L'épreuve de la souffrance est une initiation providentielle :
l'homme se déprend de lui-même et apprend à se situer par
rapport à un ordre supérieur, qui est celui de l'univers.
③ Comparer les destinées respectives de Zadig et d'Astarté
(ressemblances et différences). Quelle est, dans l'économie providentielle, l'utilité de la mort de Moabdar? celle des épreuves
de Babylone?

guérirait avec un basilic cuit dans de l'eau-rose. Le seigneur
200 Ogul a promis sa main à celle de ses esclaves qui lui apporterait un basilic. Vous voyez que je les laisse s'empresser
à mériter cet honneur, et je n'ai jamais eu moins d'envie
de trouver ce basilic que depuis que le Ciel a permis que
je vous revisse. »
205   Alors Astarté et Zadig se dirent tout ce que des sentiments longtemps retenus, tout ce que leurs malheurs
et leurs amours pouvaient inspirer aux cœurs les plus
nobles et les plus passionnés; et les génies qui président
à l'amour portèrent leurs paroles jusqu'à la sphère de
210 Vénus [1].

Les femmes rentrèrent chez Ogul sans avoir rien trouvé.
Zadig se fit présenter à lui, et lui parla en ces termes :
« Que la santé immortelle descende du ciel pour avoir
soin de tous vos jours! Je suis médecin; j'ai accouru vers
215 vous sur le bruit de votre maladie, et je vous ai apporté
un basilic cuit dans de l'eau-rose. [2] Ce n'est pas que je
prétende vous épouser. Je ne vous demande que la liberté
d'une jeune esclave de Babylone que vous avez depuis
quelques jours; et je consens de rester en esclavage à sa
220 place si je n'ai pas le bonheur de guérir le magnifique seigneur Ogul. »

La proposition fut acceptée. Astarté partit pour Babylone avec le domestique de Zadig, en lui promettant de
lui envoyer incessamment un courrier pour l'instruire
225 de tout ce qui se serait passé. Leurs adieux furent aussi
tendres que l'avait été leur reconnaissance. Le moment
où l'on se retrouve et celui où l'on se sépare sont les deux
plus grandes époques de la vie, comme dit le grand livre
du *Zend* [3]. Zadig aimait la reine autant qu'il le jurait, et la
230 reine aimait Zadig plus qu'elle ne lui disait.

Cependant Zadig parla ainsi à Ogul : « Seigneur, on
ne mange point mon basilic [4], toute sa vertu doit
entrer chez vous par les pores. Je l'ai mis dans un petit
outre [5] bien enflé et couvert d'une peau fine : il faut que
235 vous poussiez cet outre de toute votre force, et que

1. C'est la *sphère* de l'amour, la quatrième des neuf grandes sphères concentriques dont
se compose l'univers, selon Ptolémée.— 2. Voir p. 89, note 3. — 3. Voir p. 33, note 1. —
4. Ce récit est imité de l'histoire du médecin Duban (*Les Mille et une Nuits*). — 5. Le mot
est féminin, de nos jours.

je vous le renvoie à plusieurs reprises; et en peu de jours
de régime vous verrez ce que peut mon art. » Ogul,
dès le premier jour, fut tout essoufflé, et crut qu'il
mourrait de fatigue. Le second, il fut moins fatigué,
240 et dormit mieux. En huit jours il recouvra toute la force,
la santé, la légèreté et la gaieté de ses plus brillantes
années. « Vous avez joué au ballon, et vous avez été sobre,
lui dit Zadig : apprenez qu'il n'y a point de basilic dans
la nature, qu'on se porte toujours bien avec de la sobriété
245 et de l'exercice, et que l'art de faire subsister ensemble
l'intempérance et la santé est un art aussi chimérique que
la pierre philosophale, l'astrologie judiciaire et la théologie
des mages. »

Le premier médecin d'Ogul, sentant combien cet
250 homme était dangereux pour la médecine, s'unit avec
l'apothicaire du corps[1] pour envoyer Zadig chercher
des basilics dans l'autre monde. Ainsi, après avoir été
toujours puni pour avoir bien fait, il était prêt de périr
pour avoir guéri un seigneur gourmand. On l'invita
255 à un excellent dîner. Il devait être empoisonné au second
service; mais il reçut un courrier de la belle Astarté au
premier. Il quitta la table, et partit. « Quand on est aimé
d'une belle femme, dit le grand Zoroastre[2], on se tire
toujours d'affaire dans ce monde. »

CHAPITRE XVII

LES COMBATS

La reine avait été reçue à Babylone avec les transports
qu'on a toujours pour une belle princesse qui a été malheureuse. Babylone alors paraissait être plus tranquille. Le prince d'Hyrcanie avait été tué dans un combat.
5 Les Babyloniens, vainqueurs, déclarèrent qu'Astarté
épouserait celui qu'on choisirait pour souverain. On ne

---

1. Le *corps* des officiers de service à la cour; cf. gardes du corps. — 2. Voir p. 27, note 7.

voulut point que la première place du monde, qui serait
celle de mari d'Astarté et de roi de Babylone, dépendît
des intrigues et des cabales. On jura de reconnaître pour
10 roi le plus vaillant et le plus sage[1]. Une grande lice[2]
bordée d'amphithéâtres[3] magnifiquement ornés fut for-
mée à quelques lieues de la ville. Les combattants devaient
s'y rendre armés de toutes pièces. Chacun d'eux avait, derrière les amphithéâtres, un appartement séparé où il ne
15 devait être vu ni connu de personne. Il fallait courir quatre
lances[4]. Ceux qui seraient assez heureux pour vaincre
quatre chevaliers devaient combattre ensuite les uns contre
les autres; de façon que celui qui resterait le dernier maître
du champ serait proclamé vainqueur des jeux. Il devait
20 revenir quatre jours après, avec les mêmes armes, et expliquer les énigmes proposées par les mages. S'il n'expli-
quait point les énigmes, il n'était point roi, et il fallait
recommencer à courir des lances jusqu'à ce qu'on trouvât
un homme qui fût vainqueur dans ces deux combats : car
25 on voulait absolument pour roi le plus vaillant et le plus
sage. La reine, pendant tout ce temps, devait être étroitement gardée : on lui permettait seulement d'assister
aux jeux couverte d'un voile; mais on ne souffrait pas qu'elle
parlât à aucun des prétendants, afin qu'il n'y eût ni faveur
30 ni injustice.

Voilà ce qu'Astarté faisait savoir à son amant, espé-
rant qu'il montrerait pour elle plus de valeur et d'esprit
que personne. Il partit, et pria Vénus[5] de fortifier son
courage et d'éclairer son esprit. Il arriva sur le rivage de
35 l'Euphrate la veille de ce grand jour. Il fit inscrire sa
devise[6] parmi celles des combattants, en cachant son
visage et son nom, comme la loi l'ordonnait, et alla se
reposer dans l'appartement qui lui échut par le sort. Son

---

1. Cf. Fénelon, *Télémaque*, V. — 2. Terrain entouré d'une palissade et qui servait
aux jeux, aux tournois. Dans tout ce chapitre, Voltaire imite l'Arioste (*Roland furieux*,
chap. XVII) qui situe à Damas un tournoi aussi peu oriental que celui-ci. — 3. Voltaire tient
à distinguer entre le cirque (qu'il désigne aussi sous le nom de *lice* ou d'*arène*) dans lequel
évoluent les combattants, et l'amphithéâtre réservé aux spectateurs. En principe, le terme
d'amphithéâtre désigne l'ensemble de l'édifice. L'emploi du mot au pluriel, pour désigner
les gradins, est peu fréquent. — 4. Combattre contre quatre adversaires pour être admis à
disputer la « finale ». — 5. C'est peut-être la déesse que Zadig chérit le plus en ce moment,
mais avec une certaine imprudence, car Vénus n'est guère la déesse de l'intelligence, et
encore moins de l'ardeur guerrière. — 6. Figure emblématique peinte sur un bouclier,
accompagnée d'une sentence qui l'explique.

ami Cador, qui était revenu à Babylone après l'avoir
[40] inutilement cherché en Égypte[1], fit porter dans sa loge
une armure complète que la reine lui envoyait. Il lui
fit amener aussi de sa part le plus beau cheval de Perse.
Zadig reconnut Astarté à ces présents : son courage et
son amour en prirent de nouvelles forces et de nouvelles
[45] espérances.

Le lendemain, la reine étant venue se placer sous un
dais de pierreries, et les amphithéâtres étant remplis de
toutes les dames et de tous les ordres de Babylone, les
combattants parurent dans le cirque. Chacun d'eux vint
[50] mettre sa devise aux pieds du grand mage. On tira au
sort les devises; celle de Zadig fut la dernière. Le premier qui s'avança était un seigneur très riche, nommé
Itobad[2], fort vain, peu courageux, très maladroit, et sans
esprit. Ses domestiques l'avaient persuadé qu'un homme
[55] comme lui devait être roi; il leur avait répondu : « Un
homme comme moi[3] doit régner. » Ainsi on l'avait armé
de pied en cap. Il portait une armure d'or émaillée de
vert, un panache vert, une lance ornée de rubans verts[4].
On s'aperçut d'abord, à la manière dont Itobad gou-
[60] vernait son cheval, que ce n'était pas un homme comme
lui à qui le Ciel réservait le sceptre de Babylone. Le
premier cavalier qui courut contre lui le désarçonna;
le second le renversa sur la croupe de son cheval, les
deux jambes en l'air et les bras étendus. Itobad se remit,
[65] mais de si mauvaise grâce que tout l'amphithéâtre se
mit à rire. Un troisième ne daigna pas se servir de sa
lance; mais, en lui faisant une passe[5], il le prit par la
jambe droite, et, lui faisant faire demi-tour, il le fit tomber
sur le sable : les écuyers des jeux accoururent à lui en riant
[70] et le remirent en selle. Le quatrième combattant le prend
par la jambe gauche, et le fait tomber de l'autre côté.

---

1. Voir p. 58, l. 130-131. — 2. Primitivement écrit *Itobal*. Semble provenir de *Itabelos*, personnage perse mentionné par Xénophon (*Anabase*, VII, 8, 15). Mais le personnage de Voltaire et celui de Xénophon n'ont rien de commun, hormis leur nom. — 3. « En France est marquis qui veut, et quiconque arrive à Paris du fond de sa province avec de l'argent à dépenser et un nom en *ac* ou en *ille*, peut dire *un homme comme moi, un homme de ma qualité* et mépriser souverainement un négociant » (*Lettres philosophiques*, X). — 4. Le vert était la couleur des nouveaux chevaliers. « Ceux qui ont habillé Itobad pour son premier combat ont fait largement les choses » (J. Fabre). — 5. Voir p. 61, note 2.

On le conduisit avec des huées à sa loge, où il devait passer
la nuit selon la loi ; et il disait en marchant à peine : « Quelle
aventure pour un homme comme moi ! »

75   Les autres chevaliers s'acquittèrent mieux de leur
devoir. Il y en eut qui vainquirent deux combattants
de suite ; quelques-uns allèrent jusqu'à trois. Il n'y eut
que le prince Otame [1] qui en vainquit quatre. Enfin Zadig
combattit à son tour : il désarçonna quatre cavaliers de
80 suite avec toute la grâce possible. Il fallut donc voir qui
serait vainqueur d'Otame ou de Zadig. Le premier portait
des armes bleues et or, avec un panache de même ; celles de
Zadig étaient blanches. Tous les vœux se partageaient entre
le cavalier bleu et le cavalier blanc. La reine, à qui le
85 cœur palpitait, faisait des prières au Ciel pour la couleur
blanche.

    Les deux champions firent des passes et des voltes
avec tant d'agilité, ils se donnèrent de si beaux coups
de lance, ils étaient si fermes sur leurs arçons, que tout
le monde, hors la reine, souhaitait qu'il y eût deux rois
90 dans Babylone. Enfin, leurs chevaux étant lassés et leurs
lances rompues, Zadig usa de cette adresse : il passe
derrière le prince bleu, s'élance sur la croupe de son
cheval, le prend par le milieu du corps, le jette à terre,

---

1. Nom d'un des plus grands seigneurs de la Perse.

● **Les couleurs des combattants**

    Dans le choix des couleurs adoptées par les combattants, Voltaire
semble se souvenir des querelles qui, à Rome d'abord puis à
Constantinople, opposaient à l'hippodrome les Bleus et les Verts
en factions rivales, d'après la couleur de la casaque des cochers.
Une formidable sédition eut lieu en 532, à Nika, parce que Jus-
tinien avait pris le parti des Bleus. Les Blancs formaient une
autre faction, qui se joignit plus tard aux Bleus. On voit comment
Voltaire a pu distribuer les couleurs : le blanc de Zadig est la
couleur des rois de France ; c'est aussi la couleur du diadème des
princes orientaux ; c'est enfin la couleur du bon parti qui rejoignit
les Bleus (la couleur d'Otame). Quant au Vert, c'était, à
Nika, la couleur des cochers séditieux, et, en France, celle des
nouveaux chevaliers.

se met en selle à sa place et caracole [1] autour d'Otame
95 étendu sur la place. Tout l'amphithéâtre crie : « Victoire
au cavalier blanc! » Otame, indigné, se relève, tire son
épée; Zadig saute de cheval, le sabre à la main. Les voilà
tous deux sur l'arène, livrant un nouveau combat, où
la force et l'agilité triomphent tour à tour. Les plumes
100 de leur casque, les clous de leurs brassards, les mailles
de leur armure, sautent au loin sous mille coups précipités. Ils frappent de pointe et de taille, à droite, à gauche,
sur la tête, sur la poitrine; ils reculent, ils avancent, ils se
mesurent, ils se rejoignent, ils se saisissent, ils se replient
105 comme des serpents, ils s'attaquent comme des lions; le
feu jaillit à tout moment des coups qu'ils se portent. Enfin
Zadig, ayant un moment repris ses esprits, s'arrête, fait
une feinte, passe sur Otame, le fait tomber, le désarme,
et Otame s'écrie : « O chevalier blanc! c'est vous qui devez
110 régner sur Babylone. » La reine était au comble de la joie.
On reconduisit le chevalier bleu et le chevalier blanc chacun
à leur loge, ainsi que tous les autres, selon ce qui était porté
par la loi. Des muets vinrent les servir et leur apporter à
manger. On peut juger si le petit muet de la reine ne fut
115 pas celui qui servit Zadig. Ensuite on les laissa dormir
seuls jusqu'au lendemain matin, temps où le vainqueur
devait apporter sa devise au grand mage pour la con-
fronter et se faire reconnaître.

Zadig dormit, quoique amoureux, tant il était fatigué.
120 Itobad, qui était couché auprès de lui, ne dormit point.
Il se leva pendant la nuit, entra dans sa loge, prit les
armes blanches de Zadig avec sa devise, et mit son armure
verte à la place. Le point du jour étant venu, il alla fière-
ment au grand mage déclarer qu'un homme comme lui
125 était vainqueur. On ne s'y attendait pas; mais il fut proclamé pendant que Zadig dormait encore. Astarté, surprise
et le désespoir dans le cœur, s'en retourna dans Babylone.
Tout l'amphithéâtre était déjà presque vide lorsque Zadig
s'éveilla; il chercha ses armes, et ne trouva que cette armure
130 verte. Il était obligé de s'en couvrir, n'ayant rien autre chose
auprès de lui. Étonné et indigné, il les endosse avec fureur,
il avance dans cet équipage.

---

1. Fait exécuter à son cheval une série de demi-tours à droite et à gauche.

Tout ce qui était encore sur l'amphithéâtre et dans
le cirque le reçut avec des huées. On l'entourait; on
135 lui insultait en face. Jamais homme n'essuya des mor-
tifications si humiliantes. La patience lui échappa; il
écarta à coups de sabre la populace qui osait l'outrager;
mais il ne savait quel parti prendre. Il ne pouvait voir
la reine; il ne pouvait réclamer l'armure blanche qu'elle
140 lui avait envoyée : c'eût été la compromettre; ainsi,
tandis qu'elle était plongée dans la douleur, il était pénétré de fureur et d'inquiétude. Il se promenait sur les bords
de l'Euphrate, persuadé que son étoile le destinait à être
malheureux sans ressource, repassant dans son esprit
145 toutes ses disgrâces, depuis l'aventure de la femme qui
haïssait les borgnes jusqu'à celle de son armure. « Voilà
ce que c'est, disait-il, de m'être éveillé trop tard; si j'avais
moins dormi, je serais roi de Babylone, je posséderais
Astarté. Les sciences, les mœurs, le courage n'ont donc
150 jamais servi qu'à mon infortune. » Il lui échappa enfin
de murmurer contre la Providence, et il fut tenté de croire
que tout était gouverné par une destinée cruelle qui oppri-
mait les bons et qui faisait prospérer les chevaliers verts.
Un de ses chagrins était de porter cette armure verte
155 qui lui avait attiré tant de huées. Un marchand passa, il la
lui vendit à vil prix, et prit du marchand une robe et un

● **Intérêt dramatique**

L'ultime épreuve que la Providence réserve à Zadig est aussi
la plus cruelle. Pour la première fois Zadig lève les yeux au Ciel,
mais c'est pour l'accuser. Le temps de la résignation, de l'espoir,
du doute, est passé. Mais la révolte ouverte qui obscurcit l'esprit
appelle la révélation providentielle qui l'éclaire. Zadig est prêt
maintenant à rencontrer l'Ermite.

● **L'art du chapitre**

① Comment Voltaire a-t-il su faire rebondir l'intérêt du récit?
Pourquoi a-t-il tenu à décrire si longuement un premier combat
ridicule? Est-il possible de deviner que les combats ont lieu en
Orient? Voltaire se flattait d'être *le premier Français qui eût
peint des coups d'escrime portés, parés, détournés* (15 avril 1739).
Quelles sont les qualités de Voltaire peintre de combats (chapitres I, l. 57-59; IX, l. 45-65; XIV, l. 1-11)?

bonnet long [1]. Dans cet équipage, il côtoyait l'Euphrate, rempli de désespoir et accusant en secret la Providence, qui le persécutait toujours.

CHAPITRE XVIII

L'ERMITE

Il rencontra en marchant un ermite dont la barbe blanche et vénérable lui descendait jusqu'à la ceinture [2]. Il tenait en main un livre qu'il lisait attentivement. Zadig s'arrêta et lui fit une profonde inclination [3]. L'ermite
5 le salua d'un air si noble et si doux que Zadig eut la curiosité de l'entretenir. Il lui demanda quel livre il lisait. « C'est le livre des destinées, dit l'ermite; voulez-vous en lire quelque chose? » Il mit le livre dans les mains de Zadig, qui, tout instruit qu'il était dans plusieurs langues,
10 ne put déchiffrer un seul caractère du livre. Cela redoubla encore sa curiosité. « Vous me paraissez bien chagrin, lui dit ce bon père. — Hélas! que j'en ai sujet! dit Zadig. — Si vous permettez que je vous accompagne, repartit le vieillard, peut-être vous serai-je utile : j'ai quelquefois répandu
15 des sentiments de consolation dans l'âme des malheureux. » Zadig se sentit du respect pour l'air, pour la barbe et pour le livre de l'ermite. Il lui trouva dans la conversation des lumières supérieures. L'ermite parlait de la destinée, de la justice, de la morale, du souverain bien, de la faiblesse
20 humaine, des vertus et des vices, avec une éloquence si vive et si touchante que Zadig se sentit entraîné vers lui par un charme invincible. Il le pria avec instance de ne le point quitter jusqu'à ce qu'ils fussent de retour à Baby-

---

1. Habit traditionnel : gandoura et chéchia. — 2. L'anecdote que développe ce chapitre a déjà été traitée en 1721 par le poète anglais Parnell. Mais le thème remonte à un ancien récit talmudique qui a été repris, avec des variations diverses, par le *Coran* et par des récits du Moyen Age. Pour plus de détails, se reporter à Ascoli (t. II, p. 136-151). — 3. « Action de pencher la tête ou le corps en signe de respect » (Littré).

lone. « Je vous demande moi-même cette grâce, lui dit
25 le vieillard; jurez-moi par Orosmade [1] que vous ne vous
séparerez point de moi d'ici à quelques jours, quelque
chose que je fasse. » Zadig jura, et ils partirent ensemble.

Les deux voyageurs arrivèrent le soir à un château superbe. L'ermite demanda l'hospitalité pour lui et pour
30 le jeune homme qui l'accompagnait. Le portier, qu'on
aurait pris pour un grand seigneur, les introduisit avec
une espèce de bonté dédaigneuse. On les présenta à un
principal domestique, qui leur fit voir les appartements
magnifiques du maître. Ils furent admis à sa table au bas
35 bout, sans que le seigneur du château les honorât d'un
regard, mais ils furent servis comme les autres, avec
délicatesse et profusion. On leur donna ensuite à laver [2]
dans un bassin d'or garni d'émeraudes et de rubis. On les
mena coucher dans un bel appartement, et le lendemain
40 matin un domestique leur apporta à chacun une pièce d'or,
après quoi on les congédia [3].

« Le maître de la maison, dit Zadig en chemin, me
paraît être un homme généreux, quoique un peu fier; il
exerce noblement l'hospitalité. » En disant ces paroles,
45 il aperçut qu'une espèce de poche très large que portait
l'ermite paraissait tendue et enflée : il y vit le bassin d'or
garni de pierreries, que celui-ci avait volé. Il n'osa d'abord
en rien témoigner; mais il était dans une étrange surprise.

Vers le midi l'ermite se présenta à la porte d'une mai-
50 son très petite, où logeait un riche avare; il y demanda
l'hospitalité pour quelques heures. Un vieux valet mal
habillé le reçut d'un ton rude, et fit entrer l'ermite et
Zadig dans l'écurie, où on leur donna quelques olives
pourries, de mauvais pain et de la bière gâtée. L'ermite
55 but et mangea d'un air aussi content que la veille; puis,
s'adressant à ce vieux valet, qui les observait tous deux
pour voir s'ils ne volaient rien et qui les pressait de partir, il lui donna les deux pièces d'or qu'il avait reçues
le matin et le remercia de toutes ses attentions. « Je vous
60 prie, ajouta-t-il, faites-moi parler à votre maître. » Le
valet, étonné, introduisit les deux voyageurs : « Magni-

---

1. Principe du bien : voir p. 35, note 5. — 2. De quoi se *laver*. — 3. On leur fit comprendre
poliment qu'ils devaient quitter le château.

fique [1] seigneur, dit l'ermite, je ne puis que vous rendre
de très humbles grâces de la manière noble dont vous
nous avez reçus : daignez accepter ce bassin d'or comme
65 un faible gage de ma reconnaissance. » L'avare fut prêt
de tomber à la renverse. L'ermite ne lui donna pas le temps
de revenir de son saisissement ; il partit au plus vite avec son
jeune voyageur. « Mon père, lui dit Zadig, qu'est-ce que
tout ce que je vois ? Vous ne me paraissez ressembler en
70 rien aux autres hommes : vous volez un bassin d'or garni
de pierreries à un seigneur qui vous reçoit magnifiquement, et vous le donnez à un avare qui vous traite avec indi-
gnité. — Mon fils, répondit le vieillard, cet homme magnifique, qui ne reçoit les étrangers que par vanité et pour
75 faire admirer ses richesses, deviendra plus sage ; l'avare
apprendra à exercer l'hospitalité : ne vous étonnez de
rien, et suivez-moi. » Zadig ne savait encore s'il avait
affaire au plus fou ou au plus sage de tous les hommes ;
mais l'ermite parlait avec tant d'ascendant [2] que Zadig,
80 lié d'ailleurs par son serment, ne put s'empêcher de le
suivre.

Ils arrivèrent le soir à une maison agréablement bâtie,
mais simple, où rien ne sentait ni la prodigalité ni l'ava-
rice. Le maître était un philosophe retiré du monde,
85 qui cultivait en paix la sagesse et la vertu, [et qui cependant ne s'ennuyait pas [3].] Il s'était plu à bâtir cette retraite,
dans laquelle il recevait les étrangers avec une noblesse
qui n'avait rien de l'ostentation. Il alla lui-même au-
devant des deux voyageurs, qu'il fit reposer d'abord
90 dans un appartement commode. Quelque temps après,
il les vint prendre lui-même pour les inviter à un repas
propre [4] et bien entendu [5], pendant lequel il parla avec
discrétion des dernières révolutions de Babylone. Il
parut sincèrement attaché à la reine, et souhaita que
95 Zadig eût paru dans la lice pour disputer la couronne.
« Mais les hommes, ajouta-t-il, ne méritent pas d'avoir
un roi comme Zadig. » Celui-ci rougissait et sentait
redoubler ses douleurs. On convint dans la conversa-

---

1. Qui se plaît à faire de grandes dépenses ou de grands dons. — 2. Autorité. —
3. Addition de 1756. — 4. Agréable, élégant. — 5. Dont le menu était composé avec
intelligence et bon goût.

tion que les choses de ce monde n'allaient pas toujours
100 au gré des plus sages. L'ermite soutint toujours qu'on
ne connaissait pas les voies de la Providence, et que
les hommes avaient tort de juger d'un tout dont ils n'aper-
cevaient que la plus petite partie [1].

[On parla des passions. « Ah! qu'elles sont funestes!
105 disait Zadig. — Ce sont les vents qui enflent les voiles
du vaisseau, repartit l'ermite : elles le submergent quelquefois; mais sans elles il ne pourrait voguer. La bile
rend colère et malade; mais sans la bile l'homme ne
saurait vivre. Tout est dangereux ici-bas, et tout est
110 nécessaire. »

On parla de plaisir, et l'ermite prouva que c'est un
présent de la Divinité : « car, dit-il, l'homme ne peut se
donner ni sensations ni idées, il reçoit tout; la peine
et le plaisir lui viennent d'ailleurs, comme son être [2]. »
115 Zadig admirait comment un homme qui avait fait
des choses si extravagantes pouvait raisonner si bien [3].]
Enfin, après un entretien aussi instructif qu'agréable,
l'hôte reconduisit ses deux voyageurs dans leur appartement, en bénissant le Ciel qui lui avait envoyé deux
120 hommes si sages et si vertueux. Il leur offrit de l'argent
d'une manière aisée et noble qui ne pouvait déplaire.
L'ermite le refusa, et lui dit qu'il prenait congé de lui,
comptant partir pour Babylone avant le jour. Leur séparation fut tendre; Zadig surtout se sentait plein d'estime
125 et d'inclination pour un homme si aimable.

Quand l'ermite et lui furent dans leur appartement,
ils firent longtemps l'éloge de leur hôte. Le vieillard
au point du jour éveilla son camarade. « Il faut partir,
dit-il; mais, tandis que tout le monde dort encore, je
130 veux laisser à cet homme un témoignage de mon estime
et de mon affection. » En disant ces mots, il prit un flam-
beau, et mit le feu à la maison. Zadig, épouvanté, jeta des
cris, et voulut l'empêcher de commettre une action si

1. Cf. Pope, *Essai sur l'homme* :

    « L'œil qui ne voit d'un tout qu'une seule partie
    Pourra-t-il la juger bien ou mal assortie? »

— 2. « Malebranche avait marqué Voltaire d'une empreinte qui ne fut pas effacée par
l'influence de Locke ». Cf. R. Pomeau, *la Religion de Voltaire*, p. 220. — 3. Ce développement sur les passions a été ajouté en 1748.

affreuse. L'ermite l'entraînait par une force supérieure;
135 la maison était enflammée. L'ermite, qui était déjà assez
loin avec son compagnon, la regardait brûler tranquille-
ment. « Dieu merci! dit-il, voilà la maison de mon cher
hôte détruite de fond en comble! L'heureux homme [1]! » A
ces mots Zadig fut tenté à la fois d'éclater de rire, de dire
140 des injures au révérend père, de le battre, et de s'enfuir;
mais il ne fit rien de tout cela, et, toujours subjugué par
l'ascendant de l'ermite, il le suivit malgré lui à la dernière
couchée [2].

Ce fut chez une veuve charitable et vertueuse qui avait
145 un neveu de quatorze ans, plein d'agréments et son unique
espérance. Elle fit du mieux qu'elle put les honneurs
de sa maison. Le lendemain, elle ordonna à son neveu
d'accompagner les voyageurs jusqu'à un pont qui, étant
rompu depuis peu, était devenu un passage dangereux.
150 Le jeune homme, empressé, marche au-devant d'eux.
Quand ils furent sur le pont : « Venez, dit l'ermite au
jeune homme, il faut que je marque ma reconnaissance à
votre tante. » Il le prend alors par les cheveux et le jette
dans la rivière. L'enfant tombe, reparaît un moment
155 sur l'eau, et est engouffré dans le torrent. « O monstre!
ô le plus scélérat de tous les hommes! s'écria Zadig. — Vous
m'aviez promis plus de patience, lui dit l'ermite en l'inter-
rompant : apprenez que, sous les ruines de cette maison où
la Providence a mis le feu, le maître a trouvé un trésor
160 immense; apprenez que ce jeune homme, dont la Providence a tordu le cou, aurait assassiné sa tante dans un an, et
vous dans deux. — Qui te l'a dit, barbare? cria Zadig;
et quand tu aurais lu cet événement dans ton livre des
destinées, t'est-il permis de noyer un enfant qui ne t'a
165 point fait de mal? »

Tandis que le Babylonien parlait, il aperçut que le
vieillard n'avait plus de barbe, que son visage prenait
les traits de la jeunesse. Son habit d'ermite disparut;
quatre belles ailes couvraient un corps majestueux et
170 resplendissant de lumière. « O envoyé du Ciel! ô ange
divin! s'écria Zadig en se prosternant, tu es donc des-

---

1. Dans les premières éditions, l'Ermite donnait ici même l'explication de son acte. —
2. Étape, endroit où l'on couche en voyage.

cendu de l'empyrée [1] pour apprendre à un faible mortel à
se soumettre aux ordres éternels? — Les hommes, dit
l'ange Jesrad [2], jugent de tout sans rien connaître : tu
[175] étais celui de tous les hommes qui méritait le plus d'être
éclairé. » Zadig lui demanda la permission de parler.
« Je me défie de moi-même, dit-il; mais oserai-je te prier

---

1. Voir p. 108, note 2. — 2. Ange du bien.

● **Le mal dans l'univers**

Bien et mal coexistent dans des proportions variables à tous
les niveaux de la création. La variation de leur dosage est même
une des causes de l'infinie variété qui existe dans l'univers,
et elle est un attribut de la puissance divine. Le mal n'est
donc pas la perversion du bien par suite d'une faute imputable
à l'homme. Il est lié à l'ordre immuable qui régit l'univers,
dont la perfection d'ensemble ne se révèle qu'aux yeux de Dieu.
La destinée humaine, c'est de ne pouvoir entièrement échapper
à la fatale proportion de bien et de mal dévolue à la condition terrestre, et d'être incapable par conséquent de réaliser
l'idéal de perfection dont elle rêve.
① Comparer *Zadig* (p. 107-108) et *Memnon* (p. 118-119).

● **La Providence**

Il s'agit de concilier la toute-puissance de Dieu et sa bonté,
faute de quoi la condition humaine serait tragique. L'univers
est ainsi ordonné, que le mal nécessaire y concourt au bien.
Dieu lui-même veille sur sa création, attentif aux tribulations
du juste. Ainsi la Providence est un correctif à la fatalité du mal,
et rend possible un bonheur relatif. La création n'est donc ni
absurde ni tragique.
② Les souvenirs chrétiens dans le déisme de Voltaire.
③ Commenter : *Zadig*... « ce roman moral qu'on devrait
intituler plutôt *la Providence* que *la Destinée*, si on osait se servir
de ce mot respectable de Providence dans un ouvrage de pur
amusement » (Voltaire au cardinal de Bernis, 14 octobre 1748).

● **L'homme**

Supprimé au niveau de Dieu, l'absurde n'en reste pas moins
maintenu à l'échelle de l'homme, qui ignore le sens des interven-
tions circonstancielles de la Providence, et ne peut échapper au
mal.
④ Comparer ce chapitre de *Zadig* et la conclusion de *Memnon*.

de m'éclaircir un doute : ne vaudrait-il pas mieux avoir
corrigé cet enfant, et l'avoir rendu vertueux, que de le
180 noyer? » Jesrad reprit : « S'il avait été vertueux, et s'il
eût vécu, son destin était d'être assassiné lui-même avec
la femme qu'il devait épouser, et le fils qui en devait
naître. — Mais quoi? dit Zadig, il est donc nécessaire
qu'il y ait des crimes et des malheurs? Et les malheurs
185 tombent sur les gens de bien! — Les méchants, répondit
Jesrad, sont toujours malheureux : ils servent à éprouver
un petit nombre de justes répandus sur la terre, et il n'y
a point de mal dont il ne naisse un bien. — Mais, dit Zadig,
s'il n'y avait que du bien, et point de mal? — Alors,
190 reprit Jesrad, cette terre serait une autre terre; l'enchaî-
nement des événements serait un autre ordre de sagesse;
et cet autre ordre, qui serait parfait, ne peut être que
dans la demeure éternelle de l'Être suprême, de qui le mal
ne peut approcher. Il a créé des millions de mondes dont
195 aucun ne peut ressembler à l'autre. Cette immense variété
est un attribut de sa puissance immense. Il n'y a ni deux
feuilles d'arbre sur la terre, ni deux globes dans les champs
infinis du ciel, qui soient semblables; et tout ce que tu
vois sur le petit atome où tu es né devait être dans sa
200 place et dans son temps fixe, selon les ordres immuables
de celui qui embrasse tout. Les hommes pensent que
cet enfant qui vient de périr est tombé dans l'eau par
hasard, que c'est par un même hasard que cette maison
est brûlée; mais il n'y a point de hasard : tout est épreuve,
205 ou punition, ou récompense, ou prévoyance. Souviens-toi
de ce pêcheur qui se croyait le plus malheureux de tous
les hommes. Orosmade t'a envoyé pour changer sa destinée.
Faible mortel, cesse de disputer contre ce qu'il faut adorer.
— Mais[1], dit Zadig... » Comme il disait *mais*, l'ange
210 prenait déjà son vol vers la dixième sphère[2]. Zadig, à
genoux, adora la Providence, et se soumit. L'ange lui cria
du haut des airs : « Prends ton chemin vers Babylone. »

---

1. « Un envol d'ange, un *mais* et trois points de suspension n'ont pas dissipé le scandale
du mal » (R. Pomeau). Jesrad est une anticipation de Pangloss, c'est-à-dire qu'il est le
démon du bien à tout prix, que Voltaire ne parviendra jamais à faire taire complètement.
Le dialogue interrompu entre Zadig et Jesrad se poursuit par l'entretien de Memnon et de
son Génie. — 2. La dernière *sphère* de l'univers, selon Ptolémée, où se trouve le
ciel empyrée, séjour des bienheureux et des dieux.

CHAPITRE XIX

LES ÉNIGMES

Zadig, hors de lui-même et comme un homme auprès de qui est tombé le tonnerre, marchait au hasard. Il entra dans Babylone le jour où ceux qui avaient combattu dans la lice étaient déjà assemblés dans le grand vestibule du
5 palais pour expliquer les énigmes, et pour répondre aux questions du grand mage. Tous les chevaliers étaient arrivés, excepté l'armure verte. Dès que Zadig parut dans la ville, le peuple s'assembla autour de lui; les yeux ne se rassasiaient point de le voir, les bouches de le bénir, les
10 cœurs de lui souhaiter l'empire. L'Envieux le vit passer, frémit, et se détourna; le peuple le porta jusqu'au lieu de l'assemblée. La reine, à qui on apprit son arrivée, fut en proie à l'agitation de la crainte et de l'espérance; l'inquiétude la dévorait : elle ne pouvait comprendre
15 ni pourquoi Zadig était sans armes, ni comment Itobad portait l'armure blanche. Un murmure confus s'éleva à la vue de Zadig. On était surpris et charmé de le revoir; mais il n'était permis qu'aux chevaliers qui avaient combattu de paraître dans l'assemblée.
20 « J'ai combattu comme un autre, dit-il; mais un autre porte ici mes armes, et, en attendant que j'aie l'honneur de le prouver, je demande la permission de me présenter pour expliquer les énigmes. » On alla aux voix [1] : sa réputation de probité était encore si fortement imprimée dans
25 les esprits qu'on ne balança pas [2] à l'admettre.

Le grand mage proposa d'abord cette question : « Quelle est de toutes les choses du monde la plus longue et la plus courte, la plus prompte et la plus lente, la plus divisible et la plus étendue, la plus négligée et la plus re-
30 grettée, sans qui rien ne se peut faire, qui dévore tout ce qui est petit, et qui vivifie tout ce qui est grand? »

C'était à Itobad à parler. Il répondit qu'un homme comme lui n'entendait rien aux énigmes, et qu'il lui suffi-

---

1. On vota pour savoir si la requête de Zadig était recevable. — 2. On n'hésita pas.

sait d'avoir vaincu à grands coups de lance. Les uns
35   dirent que le mot de l'énigme était la fortune, d'autres
la terre, d'autres la lumière. Zadig dit que c'était le temps.
« Rien n'est plus long, ajouta-t-il, puisqu'il est la mesure
de l'éternité; rien n'est plus court, puisqu'il manque
à tous nos projets; rien n'est plus lent pour qui attend;
40   rien de plus rapide pour qui jouit; il s'étend jusqu'à l'infini
en grand; il se divise jusque dans l'infini en petit; tous
les hommes le négligent, tous en regrettent la perte; rien
ne se fait sans lui; il fait oublier tout ce qui est indigne
de la postérité, et il immortalise les grandes choses. »
45   L'assemblée convint que Zadig avait raison.

[On demanda ensuite : « Quelle est la chose qu'on
reçoit sans remercier, dont on jouit sans savoir comment, qu'on donne aux autres quand on ne sait où l'on
est, et qu'on perd sans s'en apercevoir? »
50   Chacun dit son mot. Zadig devina seul que c'était
la vie[1].] Il expliqua toutes les autres énigmes avec la même
facilité. Itobad disait toujours que rien n'était plus aisé,
et qu'il en serait venu à bout tout aussi facilement s'il
avait voulu s'en donner la peine. On proposa des questions
55   sur la justice, sur le souverain bien, sur l'art de régner.
Les réponses de Zadig furent jugées les plus solides. « C'est
bien dommage, disait-on, qu'un si bon esprit soit un si
mauvais chevalier. — Illustres seigneurs, dit Zadig, j'ai
eu l'honneur de vaincre dans la lice. C'est à moi qu'appar-
60   tient l'armure blanche. Le seigneur Itobad s'en empara
pendant mon sommeil : il jugea apparemment qu'elle lui
siérait mieux que la verte. Je suis prêt de lui prouver d'abord
devant vous, avec ma robe, et mon épée, contre toute cette
belle armure blanche qu'il m'a prise, que c'est moi qui
65   ai eu l'honneur de vaincre le brave Otame. »

Itobad accepta le défi avec la plus grande confiance.
Il ne doutait pas qu'étant casqué, cuirassé, brassardé,
il ne vînt aisément à bout d'un champion en bonnet de
nuit et en robe de chambre[2]. Zadig tira son épée, en
70   saluant la reine, qui le regardait, pénétrée de joie et de

---

1. Cette deuxième énigme a été ajoutée en 1748. Le goût des énigmes était fort répandu
dans les sociétés mondaines de l'époque. *Le Mercure de France* en proposait à chacune de
ses livraisons. — 2. C'est la rédaction définitive de 1756. Dans *Memnon :* « en robe ».
Dans *Zadig 52 :* « en bonnet et en robe » (cf. chap. XVII, l. 156-157).

crainte. Itobad tira la sienne, en ne saluant personne.
Il s'avança sur Zadig comme un homme qui n'avait
rien à craindre. Il était prêt à lui fendre la tête. Zadig sut
parer le coup, en opposant ce qu'on appelle le fort de
75 l'épée au faible [1] de son adversaire, de façon que l'épée
d'Itobad se rompit. Alors Zadig, saisissant son ennemi
au corps, le renversa par terre, et, lui portant la pointe
de son épée au défaut de la cuirasse : « Laissez-vous
désarmer, dit-il, ou je vous tue. » Itobad, toujours surpris
80 des disgrâces qui arrivaient à un homme comme lui, laissa
faire Zadig, qui lui ôta paisiblement son magnifique casque,

---

1. *Le fort de l'épée*, c'est le premier tiers de la lame à partir de la garde, et le *faible* ce
sont les deux tiers du côté de la pointe.

- **Conclusion**

  La conclusion du roman est surtout politique et religieuse :
  l'initiative humaine relaye l'action directe de la Providence, pour
  instaurer parmi les hommes un ordre raisonnable qui soit
  le reflet de l'harmonie universelle. Rien n'est moins fataliste
  que ce roman sur la destinée, puisque la Providence « a besoin
  des hommes ». Mais cette conclusion est plus un vœu que la
  constatation de la réalité.
  ① Comment la structure même du roman conduit-elle par étapes
  à cette conclusion?

- **Le despote éclairé**

  ② Quelles expressions font du roi l'intermédiaire entre la
  Providence et les hommes? Les principes qui fondent la cité
  heureuse ne sont-ils pas ceux par lesquels la Providence gouverne le monde?
  ③ Deux images du roi : Zadig et Moabdar.
  ④ Comparer la leçon politique qui se dégage de *Zadig* avec
  cet extrait de la première lettre que Voltaire écrivit à Frédéric,
  prince royal de Prusse, vers le 1er septembre 1736 :
  « Croyez qu'il n'y a eu de véritablement bons rois que ceux qui
  ont commencé comme vous par s'instruire, par connaître les
  hommes, par aimer le vrai, par détester la persécution et la superstition. Il n'y a point de prince qui, en pensant ainsi, ne puisse
  ramener l'âge d'or dans ses états. Pourquoi si peu de rois
  recherchent-ils cet avantage? [...] c'est que presque tous songent
  plus à la royauté qu'à l'humanité; vous faites précisément le
  contraire. Soyez sûr que, si un jour le tumulte des affaires et la
  méchanceté des hommes n'altèrent point un si divin caractère,
  vous serez adoré de vos peuples et chéri du monde entier. »

sa superbe cuirasse, ses beaux brassards, ses brillants
cuissards, s'en revêtit, et courut, dans cet équipage, se jeter
aux genoux d'Astarté. Cador prouva aisément[1] que l'armure
85 appartenait à Zadig. Il fut reconnu roi d'un consentement
unanime, et surtout de celui d'Astarté, qui goûtait, après
tant d'adversités, la douceur de voir son amant digne aux
yeux de l'univers d'être son époux. Itobad alla se faire
appeler monseigneur dans sa maison. Zadig fut roi, et fut
90 heureux. Il avait présent à l'esprit ce que lui avait dit l'ange
Jesrad. Il se souvenait même du grain de sable devenu
diamant [2]. La reine et lui adorèrent la Providence. Zadig
laissa la belle capricieuse Missouf courir le monde. Il
envoya chercher le brigand Arbogad, auquel il donna un
95 grade honorable dans son armée, avec promesse de l'avan-
cer aux premières dignités s'il se comportait en vrai guerrier,
et de le faire pendre s'il faisait le métier de brigand.

Sétoc fut appelé du fond de l'Arabie, avec la belle
Almona, pour être à la tête du commerce de Babylone.
100 Cador fut placé et chéri selon ses services; [il fut l'ami du
roi, et le roi fut alors le seul monarque de la terre qui eût
un ami. Le petit muet ne fut pas oublié. On donna une
belle maison au pêcheur. Orcan fut condamné à lui payer
une grosse somme et à lui rendre sa femme; mais le pêcheur,
105 devenu sage, ne prit que l'argent [3].]

Ni la belle Sémire ne se consolait d'avoir cru que Zadig
serait borgne, ni Azora ne cessait de pleurer d'avoir
voulu lui couper le nez. Il adoucit leurs douleurs par des
présents. L'Envieux mourut de rage et de honte. L'empire
110 jouit de la paix, de la gloire et de l'abondance; ce fut
le plus beau siècle de la terre : elle était gouvernée par la
justice et par l'amour. On bénissait Zadig, et Zadig bénissait le Ciel.

---

1. Ce n'était pourtant pas une tâche facile, si on ne voulait pas compromettre la reine,
et Voltaire ne dit pas comment Cador y est parvenu. Ce personnage de Cador joue dans
le conte le rôle de *deus ex machina* : Voltaire a toujours recours à lui quand il s'agit de
résoudre une situation embarrassante. — 2. Voir p. 82, l. 38-42. — 3. Addition de 1748.

MEMNON

Des trois contes que Voltaire écrivit pour les cours qu'il fréquentait, *Memnon* est assurément le plus sombre[1]. Dans *Zadig*, dans *le Monde comme il va*, bien et mal se trouvaient mêlés. L'espoir cependant subsistait d'un équilibre meilleur. Rien, dans *Memnon*, ne fait contrepoids à l'empire du mal. On n'y trouve pas cette élévation finale par laquelle s'achevaient les précédents récits. Le héros reste pitoyablement jeté à terre, bafoué, isolé, trahi, à jamais infirme, et ne reçoit pas même la consolation d'une bonne parole qui sonne juste. Pour la première fois, Voltaire se refuse à prendre de la hauteur, et à jeter sur « notre globe terraqué » un regard en surplomb qui rajuste les choses. La perspective est tout à l'opposé de celle de *Zadig*. Les paroles de Jesrad révélaient, dans un monde en apparence absurde, un ordre secret qui lui donnait un sens. L'ange qui fait à Memnon cette même révélation se couvre de ridicule à mesure qu'il parle, et c'est le pauvre borgne qui triomphe au milieu de son malheur. Pour belle et séduisante que soit la théorie de l'optimisme, elle ne peut effacer comme par enchantement les misères trop réelles de l'existence. Vue par l'homme qui souffre, l'harmonie universelle n'est qu'une ironie. « Je ne croirai cela que quand je ne serai plus borgne. » *Memnon* dit la défaite la plus complète du corps, du cœur, de l'esprit.

On ne saurait parler cependant d'une liquidation du système optimiste. Ce conte reflète le désarroi de Voltaire après l'infidélité de Mme du Châtelet, alors qu'il est lui-même malade, soumis à des états dépressifs, déçu par son expérience des cours. Voltaire ne parvient pas à accorder les exigences de sa pensée et celles de sa sensibilité. Il perd pied un moment. C'est la même crise que l'on retrouvera dans *Candide*.

---

1. Le conte est achevé en février 1749 et paraît la même année. La rédaction devrait se situer entre octobre 1748 et janvier 1749.

MEMNON

Memnon [1] conçut un jour le projet insensé d'être parfaitement sage. Il n'y a guère d'hommes à qui cette folie n'ait quelquefois passé par la tête. Memnon se dit à lui-même : « Pour être très sage, et par conséquent très heureux, il
5 n'y a qu'à être sans passions [2]; et rien n'est plus aisé, comme on sait. Premièrement, je n'aimerai jamais de femme : car, en voyant une beauté parfaite, je me dirai à moi-même : « Ces joues-là se rideront un jour; ces beaux
» yeux seront bordés de rouge; cette gorge deviendra plate
10 » et pendante; cette belle tête deviendra chauve. Or je n'ai
» qu'à la voir à présent des mêmes yeux dont je la verrai
» alors, et assurément cette tête ne fera pas tourner la
» mienne. »

» En second lieu, je serai toujours sobre; j'aurai beau
15 être tenté par la bonne chère, par des vins délicieux, par la séduction de la société; je n'aurai qu'à me représenter les suites des excès, une tête pesante, un estomac embarrassé, la perte de la raison, de la santé et du temps, je ne mangerai alors que pour le besoin; ma santé sera toujours
20 égale, mes idées toujours pures et lumineuses. Tout cela est si facile qu'il n'y a aucun mérite à y parvenir.

» Ensuite, disait Memnon, il faut penser un peu à ma fortune : mes désirs sont modérés; mon bien est solidement placé sur le receveur [3] général des finances de Ninive [4];
25 j'ai de quoi vivre dans l'indépendance : c'est là le plus grand des biens. Je ne serai jamais dans la cruelle nécessité de faire ma cour [5]; je n'envierai personne et personne ne

---

1. *Memnon* emprunte le nom d'un héros égyptien, fils de l'Aurore, qui mourut à la guerre de Troie. Les Égyptiens lui élevèrent une statue qui, cassée à la suite d'un tremblement de terre, faisait entendre des sons harmonieux au lever du soleil, comme si Memnon saluait l'apparition de sa mère l'Aurore. Peut-être est-ce ce phénomène curieux qui a poussé Voltaire à choisir ce nom pour le donner à un personnage oriental : Memnon est le fils du soleil levant. Mais, si Voltaire a composé plusieurs contes dans le pavillon de l'Aurore à Sceaux (voir p. 18), on comprend aisément que ce nom se soit présenté à son esprit. L'on sait déjà que Zadig s'appela d'abord Memnon. Voltaire reprit ce nom, devenu libre, pour l'attribuer au héros d'un nouveau conte. — 2. Voir *Zadig*, p. 105. — 3. Les receveurs collectaient les impôts qu'ils envoyaient au ministre des finances. — 4. Capitale de l'Assyrie, sur le Tigre, mais il faut comprendre : Paris. — 5. Manifester avec assiduité du respect aux grands et aux puissants, afin de gagner leurs faveurs.

m'enviera. Voilà qui est encore très aisé. J'ai des amis,
continuait-il, je les conserverai, puisqu'ils n'auront rien
30 à me disputer. Je n'aurai jamais d'humeur avec eux, ni
eux avec moi. Cela est sans difficulté. »

Ayant fait son petit plan de sagesse dans sa chambre,
Memnon mit la tête à la fenêtre. Il vit deux femmes qui
se promenaient sous des platanes auprès de sa maison.
35 L'une était vieille et paraissait ne songer à rien. L'autre
était jeune, jolie, et semblait fort occupée. Elle soupirait,
elle pleurait, et n'en avait que plus de grâces. Notre sage
fut touché, non pas de la beauté de la dame (il était bien
sûr de ne pas sentir une telle faiblesse), mais de l'affliction
40 où il la voyait. Il descendit, il aborda la jeune Ninivienne
dans le dessein de la consoler avec sagesse. Cette belle personne lui conta de l'air le plus naïf et le plus touchant tout
le mal que lui faisait un oncle qu'elle n'avait point; avec
quels artifices il lui avait enlevé un bien qu'elle n'avait
45 jamais possédé, et tout ce qu'elle avait à craindre de sa
violence. « Vous me paraissez un homme de si bon conseil,
lui dit-elle, que si vous aviez la condescendance de venir
jusque chez moi, et d'examiner mes affaires, je suis sûre
que vous me tireriez du cruel embarras où je suis. » Memnon
50 n'hésita pas à la suivre pour examiner sagement ses affaires
et pour lui donner un bon conseil.

La dame affligée le mena dans une chambre parfumée,
et le fit asseoir avec elle poliment sur un large sofa, où
ils se tenaient tous les deux les jambes croisées vis-à-vis
55 l'un de l'autre. La dame parla en baissant les yeux, dont
il échappait quelquefois des larmes, et qui en se relevant
rencontraient toujours les regards du sage Memnon.
Ses discours étaient pleins d'un attendrissement qui
redoublait toutes les fois qu'ils se regardaient. Memnon
60 prenait ses affaires tout à fait extrêmement à cœur, et se
sentait de moment en moment la plus grande envie d'obliger une personne si honnête et si malheureuse. Ils
cessèrent insensiblement, dans la chaleur de la conversation, d'être vis-à-vis l'un de l'autre. Leurs jambes ne
65 furent plus croisées. Memnon la conseilla de si près, et lui
donna des avis si tendres, qu'ils ne pouvaient plus ni l'un
ni l'autre parler d'affaires, et qu'ils ne savaient plus où
ils en étaient.

Comme ils en étaient là, arrive l'oncle, ainsi qu'on peut

[70] bien le penser : il était armé de la tête aux pieds; et la
première chose qu'il dit fut qu'il allait tuer, comme de
raison, le sage Memnon et sa nièce; la dernière qui lui
échappa fut qu'il pouvait pardonner pour beaucoup
d'argent. Memnon fut obligé de donner tout ce qu'il
[75] avait. On était heureux, dans ce temps-là, d'en être quitte
à si bon marché; l'Amérique n'était pas encore découverte; et les dames affligées n'étaient pas à beaucoup
près si dangereuses qu'elles le sont aujourd'hui.

Memnon, honteux et désespéré, rentra chez lui : il y
[80] trouva un billet qui l'invitait à dîner avec quelques-uns de
ses intimes amis. « Si je reste seul chez moi, dit-il, j'aurai
l'esprit occupé de ma triste aventure, je ne mangerai point,
je tomberai malade. Il vaut mieux aller faire avec mes
amis intimes un repas frugal. J'oublierai, dans la douceur
[85] de leur société, la sottise que j'ai faite ce matin. » Il va au
rendez-vous; on le trouve un peu chagrin. On le fait boire
pour dissiper sa tristesse. Un peu de vin pris modérément
est un remède pour l'âme et pour le corps. C'est ainsi que
pense le sage Memnon; et il s'enivre. On lui propose de
[90] jouer après le repas. Un jeu réglé avec des amis est un passe-
temps honnête. Il joue; on lui gagne tout ce qu'il a dans sa
bourse, et quatre fois autant sur sa parole. Une dispute
s'élève sur le jeu; on s'échauffe : l'un des amis intimes lui
jette à la tête un cornet, et lui crève un œil. On rapporte
[95] chez lui le sage Memnon ivre, sans argent et ayant un œil
de moins.

Il cuve un peu son vin [1]; et, dès qu'il a la tête plus libre,
il envoie son valet chercher de l'argent chez le receveur général des finances de Ninive, pour payer ses intimes amis :
[100] on lui dit que son débiteur a fait le matin une banqueroute
frauduleuse qui met en alarme cent familles. Memnon,
outré, va à la cour avec un emplâtre sur l'œil et un placet [2]
à la main, pour demander justice au roi contre le banqueroutier. Il rencontre dans un salon plusieurs dames qui
[105] portaient toutes d'un air aisé des cerceaux [3] de vingt-quatre
pieds de circonférence. L'une d'elles, qui le connaissait
un peu, dit en le regardant de côté : « Ah! l'horreur! »

---

1. Cuver son vin : « Se calmer, revenir à la raison » (Littré) — 2. Demande faite
par écrit. — 3. Cercles cousus aux jupons pour les arrondir. Les *cerceaux* que portent
ces dames ont environ 2,50 m de diamètre!

Une autre, qui le connaissait davantage, lui dit : « Bonsoir,
Monsieur Memnon; mais vraiment, Monsieur Memnon,
110 je suis fort aise de vous voir. A propos, Monsieur Memnon,
pourquoi avez-vous perdu un œil? » Et elle passa sans
attendre sa réponse. Memnon se cacha dans un coin, et
attendit le moment où il pût se jeter aux pieds du monarque.
Ce moment arriva. Il baisa trois fois la terre, et présenta
115 son placet. Sa Gracieuse Majesté [1] le reçut très favorable-
ment, et donna le mémoire à un de ses satrapes[2] pour lui
en rendre compte. Le satrape tire Memnon à part, et lui
dit d'un air de hauteur, en ricanant amèrement : « Je vous
trouve un plaisant borgne de vous adresser au roi plutôt
120 qu'à moi, et encore plus plaisant d'oser demander justice
contre un honnête banqueroutier, que j'honore de ma protection et qui est le neveu d'une femme de chambre de ma
maîtresse. Abandonnez cette affaire-là, mon ami, si vous
voulez conserver l'œil qui vous reste. »
125 Memnon, ayant ainsi renoncé le matin aux femmes, aux
excès de table, au jeu, à toute querelle, et surtout à la cour,
avait été avant la nuit trompé et volé par une belle dame,
s'était enivré, avait joué, avait eu une querelle, s'était fait
crever un œil, et avait été à la cour, où l'on s'était moqué
130 de lui.
Pétrifié d'étonnement et navré de douleur, il s'en
retourne la mort dans le cœur. Il veut rentrer chez lui; il y
trouve des huissiers qui démeublaient sa maison de la
part de ses créanciers. Il reste presque évanoui sous un
135 platane; il y rencontre la belle dame du matin, qui se promenait avec son cher oncle, et qui éclata de rire en voyant
Memnon avec son emplâtre. La nuit vint; Memnon se
coucha sur de la paille auprès des murs de sa maison. La
fièvre le saisit; il s'endormit dans l'accès, et un esprit
140 céleste lui apparut en songe.
Il était tout resplendissant de lumière. Il avait six belles
ailes, mais ni pieds, ni tête, ni queue, et ne ressemblait à
rien. « Qui es-tu? lui dit Memnon. — Ton bon génie, lui
répondit l'autre. — Rends-moi donc mon œil, ma santé,
145 mon bien, ma sagesse », lui dit Memnon. Ensuite il lui
conta comment il avait perdu tout cela en un jour. « Voilà

---

1. « Qui accorde des grâces. » — 2. Secrétaires ou ministres.

des aventures qui ne nous arrivent jamais dans le monde
que nous habitons, dit l'esprit. — Et quel monde habitez-
vous? dit l'homme affligé. — Ma patrie, répondit-il, est à
150 cinq cent millions de lieues du soleil, dans une petite étoile
auprès de Sirius, que tu vois d'ici. — Le beau pays! dit
Memnon. Quoi! vous n'avez point chez vous de coquines
qui trompent un pauvre homme, point d'amis intimes qui
lui gagnent son argent et qui lui crèvent un œil, point de
155 banqueroutiers, point de satrapes qui se moquent de vous
en vous refusant justice? — Non, dit l'habitant de l'étoile,
rien de tout cela. Nous ne sommes jamais trompés par les
femmes, parce que nous n'en avons point; nous ne faisons
point d'excès de table, parce que nous ne mangeons point;
160 nous n'avons point de banqueroutiers, parce qu'il n'y a
chez nous ni or ni argent; on ne peut pas nous crever les
yeux, parce que nous n'avons point de corps à la façon
des vôtres; et les satrapes ne nous font jamais d'injustice,
parce que dans notre petite étoile tout le monde est égal. »
165   Memnon lui dit alors : « Monseigneur, sans femme et
sans dîner, à quoi passez-vous votre temps? — A veiller,
dit le génie, sur les autres globes qui nous sont confiés : et
je viens pour te consoler. — Hélas! reprit Memnon, que
ne veniez-vous la nuit passée pour m'empêcher de faire
170 tant de folies? — J'étais auprès d'Assan, ton frère aîné, dit
l'être céleste. Il est plus à plaindre que toi. Sa gracieuse
Majesté le roi des Indes, à la cour duquel il a l'honneur
d'être, lui a fait crever les deux yeux pour une petite indis-
crétion, et il est actuellement dans un cachot, les fers aux
175 pieds et aux mains. — C'est bien la peine, dit Memnon,
d'avoir un bon génie dans une famille pour que de deux
frères l'un soit borgne, l'autre aveugle, l'un couché sur
la paille, l'autre en prison. — Ton sort changera, reprit
l'animal de l'étoile. Il est vrai que tu seras toujours borgne;
180 mais, à cela près, tu seras assez heureux, pourvu que tu
ne fasses jamais le sot projet d'être parfaitement sage.
— C'est donc une chose à laquelle il est impossible de parvenir? s'écria Memnon en soupirant. — Aussi impossible,
lui répliqua l'autre, que d'être parfaitement habile, parfai-
185 tement fort, parfaitement puissant, parfaitement heureux.
Nous-mêmes nous en sommes bien loin. Il y a un globe
où tout cela se trouve; mais, dans les cent mille millions
de mondes qui sont dispersés dans l'étendue, tout se suit

par degrés. On a moins de sagesse et de plaisir dans le
190 second que dans le premier, moins dans le troisième que
dans le second. Ainsi du reste jusqu'au dernier, où tout le
monde est complètement fou. — J'ai bien peur, dit Memnon, que notre petit globe terraqué ne soit précisément les
petites-maisons [1] de l'univers dont vous me faites l'honneur
195 de me parler. — Pas tout à fait, dit l'esprit; mais il en
approche : il faut que tout soit en place. — Eh mais! dit
Memnon, certains poètes [2], certains philosophes [3], ont
donc grand tort de dire que *tout est bien?* — Ils ont grande
raison, dit le philosophe de là-haut, en considérant l'arrangement de l'univers entier. — Ah! je ne croirai cela, répliqua
le pauvre Memnon, que quand je ne serai plus borgne. »

---

1. Hôpital des fous. — 2. Pope. — 3. Leibniz, Wolff.

● **Memnon**

« Pour juger d'un événement, il n'en faut point juger en particulier et hors de la liaison et de la suite des choses; mais il en
faut juger par rapport à l'univers entier, et par les effets qu'il
produit dans tous les lieux et dans tous les temps » (Mme du
Châtelet, *Institutions de physique*, 1740).
① Vérifier cette doctrine dans les propos tenus par Jesrad
(*Zadig*, chap. XVIII) et par l'ange de Memnon. Quelle est la
différence d'attitude de Zadig et de Memnon à l'égard de ces
êtres célestes?
« Être philosophe, c'est comprendre qu'il faut extirper de son
cœur toute exigence d'absolu, s'il est vrai que l'absolu n'est pas
la mesure de l'homme [...]. Le besoin de perfection, qui dévore
Memnon, semble à Voltaire aussi ridicule que l'inquiétude
métaphysique de Micromégas. L'un tente d'escalader des
chimères qui s'écrouleront sous lui; l'autre, annihilé par sa propre
angoisse, se noie dans la conscience de son propre néant. À égale
distance de ces deux démesures, le bonheur commence avec
l'acceptation détendue et enjouée de notre destin, et le vrai
bon sens ne consiste pas à choisir ni à construire, mais à s'accommoder des choses telles qu'on les trouve » (R. Mauzi, *l'Idée
de bonheur au XVIIIᵉ siècle*, p. 96).
② Commenter : « La raillerie de Voltaire est parfois l'écume
d'une blessure. Il traite l'objet de son chagrin, le sujet de ses
déceptions, comme ses ennemis, par le ridicule » (A. Bellessort,
Voltaire, p. 191).

Voltaire à Cirey
Crayon de Quentin La Tour

QUELQUES JUGEMENTS

Mémoires de Trévoux, novembre 1748 :

Cet ouvrage [*Zadig*] est singulier partout, même dans l'approbation [...]. L'auteur, qui nous est inconnu, doit avoir bien de l'esprit, un grand usage d'écrire, et beaucoup de connaissances. Il raconte avec légèreté et peint avec grâce [...]. L'on trouvera à y condamner quelques principes, par exemple les jugements que Zadig porte de tous les cultes de la divinité. Il les estime presque également tous ; il ne les croit différents les uns des autres que par des contrariétés apparentes ou accidentelles. Il n'est pas bon non plus que l'esprit céleste envoyé à Zadig pour l'instruire, lui peigne les passions comme quelque chose d'essentiel à l'homme ; ni qu'il prononce cette sentence : *tout est dangereux ici bas et tout est nécessaire ;* ni qu'il assure que l'*Être suprême a créé un million de mondes ;* ni qu'il insinue que tout ce qui est devait être tel absolument : ce qui autoriserait cette idée très fausse que, dans la production et l'arrangement de cet univers, Dieu n'aurait pas été parfaitement libre, etc.

ROBERT MAUZI, *l'Idée de bonheur au XVIIIᵉ siècle*, p. 64-65 et 66-67 :

La destinée de Zadig se trouve orientée et conduite par l'influence de trois forces de nature différente : les prédispositions heureuses de Zadig, la rareté et l'harmonie de ses qualités personnelles constituent la force positive ; les vices des hommes, dont le héros est le jouet et qui sont autant d'embûches, la force négative. Mais au-dessus, il y a la fortune qui arbitre et qui peut à son gré faire triompher l'une ou l'autre. A plusieurs reprises, elle intervient par des coups inopinés au moment où Zadig est le plus en péril et le replace dans une voie royale.

En fait, il semble que la pensée de Voltaire ne choisisse pas entre deux thèses également « philosophiques », mais qui s'accordent mal entre elles : selon l'une, le bonheur est inversement proportionnel à la vertu ; pour l'autre, il ne dépend que du hasard. La première est l'expression d'un pessimisme systématique et paradoxal ; la seconde ne révèle qu'un scepticisme évasif. Si l'on fait abstraction du dénouement providentiel qui donne à *Zadig* son véritable éclairage, on comprend mal la signification du conte [...].

Il faut que l'ange Jesrad apparaisse [à Zadig] et lui dévoile l'énigme universelle [...]. Le monde dans lequel vit l'homme n'est donc pas absurde, puisque tout y possède un sens. Il n'y a jamais d'accident, mais une infinité de manifestations particulières de la volonté divine. La Providence veille sur chaque destinée individuelle, dont les vicissitudes, loin d'incliner l'homme au désespoir, tendent à lui révéler que tout sert le bien, y compris le mal. L'incohérence apparente de l'univers n'est que le masque d'une stricte justice immanente : seuls les méchants se retrouvent irrévocablement malheureux. Chacun de ces insectes, dont on ne peut s'empêcher de rire, lorsqu'on compare leur gesticulation prétentieuse à la majesté immobile des astres, demeure à tout instant sous le regard de Dieu.

La pensée de Voltaire reste, une fois de plus, assez ambiguë [...]. Maintenant qu'il corrige cette vision du mal et de l'absurde, en obligeant la Providence à se dévoiler, il hésite entre une Providence universelle et une Providence particulière, l'une qui n'existe qu'à l'échelle de l'infinité cosmique, l'autre qui assume le détail des destinées individuelles, en descendant des « étoiles » aux « insectes ».

V. L. SAULNIER, *Zadig*, Droz, p. XXXI-XXXIII :

Le vice de la morale du conte n'est pas dans une contradiction. Il est dans l'exaspérante médiocrité de ces deux chapitres épais, *l'Hermite* et *le Pêcheur*, qui couronnent si malheureusement l'ouvrage. *Le Pêcheur* : le plus malheureux, ici bas, trouve plus malheureux que lui. *L'Hermite* : épisode lourd de toute la pesanteur d'un symbolisme qui sent l'huile de lampe. On avait, dans toute la partie narrative du conte, un allègre, alerte récit, piquant, spirituel, pessimiste avec ironie : son ironie même suffisait à conjurer l'excès, un peu apprêté, de son pessimisme. Et voilà qu'aux chapitres moraux, on quitte son Voltaire pour trouver une sorte d'Homais, confiant dans le « Dieu de Socrate et de Béranger » [...]. On regardait le réel sans aigreur, mais sans illusion : on le regarde maintenant à travers les lunettes des allégoristes médiévaux qui trouvaient le Christ dans Virgile. Cet homme voit sa maison brûler : mais c'est que, sous les ruines, il trouvera un trésor ; cet enfant nous le tuons : c'est pour qu'il ne soit pas, un jour, assassin ou tué lui-même. Il y a bien de l'enfantillage (si toutefois, mais il semble, Voltaire parle ici sérieusement) : non pas dans l'idée, mais dans la formule. Ces historiettes sentent le conte de Noël, le livre pour enfants, le conte de fées moral. Heureux qui s'en contente. On voudrait bien en être encore. Ce sera, malheureusement, de moins en moins possible, au fur et à mesure que s'entassent les siècles lourds.

RENÉ POMEAU, *la Religion de Voltaire*, p. 211-212 :

De tout temps, sans doute, le ciel fut sur la tête de l'homme l'inaccessible et l'infini. Les astres, qui brillent au fond de la nuit d'un immortel éclat, transcendent divinement les événements terrestres. La régularité de leurs mouvements écrase l'homme qui les contemple sous l'impression de la toute-puissance. Ce n'est pas un hasard si le ciel est devenu un synonyme de Dieu dans le vocabulaire de la piété. Dès que l'homme a contemplé le ciel nocturne, il a dû frémir d'une émotion religieuse. La théophanie céleste, l'une des plus primitives, est peut-être la seule que le progrès de la conscience rationnelle n'ait pas affaiblie. Au contraire, l'astronomie a successivement débarrassé le ciel des représentations naïves qui en cachaient l'immensité. « Un jour plus pur me luit », dit Voltaire : Newton, dissipant les fantômes tourbillonnaires des cartésiens, a découvert l'infinie simplicité d'un cosmos digne de la majesté divine.

Ainsi l'astronomie exerce sur les esprits un attrait qui n'est pas purement rationnel. Elle touche, en certaine zone profonde, le sens du mystère et de l'infini. Les x de Maupertuis n'auraient peut-être pas suffi à convaincre Voltaire. En 1732, la loi de la gravitation était, en France, une nouveauté contestée ; Fontenelle, dont la compétence scientifique dépassait largement celle de Voltaire, refusa toute sa vie de croire à l'attraction. Mais Voltaire était prédisposé à accepter la vision grandiose de l'univers newtonien : « Le grand, le pathétique, le sentiment, voilà mes premiers maîtres... », écrivait-il à Vauvenargues. Il ne se vantait pas. Voltaire aspire à la grandeur par réaction contre lui-même. Il sent trop sa faiblesse, il est trop porté à ne voir en lui et autour de lui que bassesses et mesquineries. Il faut qu'à certaines heures il s'exalte nerveusement dans le sentiment du grand. Il a besoin de cet idéalisme qu'il a dispensé, sa vie durant, dans ses tragédies. Et ce besoin l'a conduit au Dieu du ciel newtonien. Voguant en esprit dans ces mondes infinis, sentant dans leur immensité la majesté divine, Voltaire se délivre de son poids terrestre dans « le grand, le pathétique, le sentiment ».

JACQUES VAN DEN HEUVEL, *La Table ronde*, février 1958 :

[*Memnon*] ... Le philosophe commence à rabattre de ses prétentions. A quoi bon en effet ces petits plans de sagesse en chambre, puisque de toute façon on doit finir par se mettre à la fenêtre, et que l'événement dispose de l'homme à sa guise? [...] Voltaire abandonné par sa compagne sent le sol lui manquer. La vie se charge de lui prouver qu'elle sait déjouer les plans des hommes. Pour la première fois, il représente un héros en état d'infériorité absolue et irrémédiable, par rapport au monde. *Memnon* est le premier conte de la défaillance du sage, de sa démission, et, en tous les sens, de sa *passion*. Il inaugure le martyrologe de ceux qui sont voués à souffrir en leur chair.

ANTOINE ADAM, *Europe*, juin 1959 :

> ...Longtemps [Voltaire] s'était borné à aimer son temps parce que la vie y était douce et facile, parce que les fanatismes y perdaient de leur virulence, parce que les hommes semblaient d'accord pour travailler à leur commun bonheur. Puis, lorsqu'il avait abordé l'étude de la physique, il s'était enthousiasmé. Que ne devait-on pas attendre d'une époque qu'éclairait le génie de Newton, qui se permettait de peser et de mesurer les planètes et de fixer avec certitude la forme de notre globe ? Mais cette foi dans l'avenir de l'esprit humain s'accompagna d'une sorte d'horreur du passé lorsqu'il entreprit l'étude des siècles anciens [...]. L'œuvre de la raison prenait donc, par la force des choses, l'allure d'une entreprise critique. Il n'en a pas fallu davantage à certains pour accuser Voltaire d'être un esprit destructeur, qui trouvait son plaisir à ruiner les croyances et les institutions les plus vénérables, non pas seulement l'Église catholique, mais la vieille monarchie française. Les théocrates de la Restauration se trouvèrent d'accord avec l'école saint-simonienne pour voir dans la philosophie des Lumières un système de pure négation, et dans l'œuvre de Voltaire l'exemple le plus détestable d'une pensée acharnée à détruire. Absurde grief [...]. Il avait, comme les autres partisans des Lumières, un sens très vif de l'ordre. Il l'avait pour les choses de la morale comme pour celles de la vie publique. Il se méfiait de ce que son époque appelait les enthousiastes. Il ne songeait pas à confier aux forces obscures du sentiment la conduite de la vie. [...]
>
> Dans sa vie même, il ne sentait pas, ou ne voulait pas sentir les déchirements des devoirs contraires, le conflit de ses aspirations et de ses impuissances. Il croyait [...] à une sorte de loi universelle, bonne pour tous les hommes, identique pour tous, et qui se confondait avec l'intérêt de chacun. Pas plus que son siècle, il n'avait ce sens du tragique qui explique Pascal, et que nous observons au cœur du siècle présent. A ses yeux, l'homme, en voulant son propre bien, veut le bien de tous, de même qu'en voulant le bien de tous il assure son intérêt propre. Il ne saurait vouloir le mal pour le mal, et celui-ci n'est, pour Voltaire, [...] que privation et limite. Une humanité plus éclairée réduira progressivement cette zone d'erreurs, l'individu comprendra mieux qu'en obéissant à l'ordre universel il assure son propre bonheur. L'essentiel de la morale de Voltaire est là, et c'est la morale même des Lumières.

GUSTAVE LANSON, *Voltaire*, p. 152-154 :

> [Voltaire] est artiste plus que psychologue [...]. Il n'analyse pas des caractères, il dessine des silhouettes. Chacun des fantoches qui vont à la chasse au bonheur est saisi en son attitude expressive,

qui révèle le ressort dont il est mû. Chacun a le pli, l'accent de son état ou de sa nation [...]. Toutes les idées que Voltaire se fait de la société et des parties qui la composent, des gouvernements, de la religion et des mœurs des divers pays, s'inscrivent dans les croquis dont il remplit ses contes, déterminent le choix des actes et des propos qui expriment ses personnages [...]. Mais le réalisme pittoresque de Voltaire n'est que la transposition du sensualisme dans l'art : sa fin est de procurer des idées justes. Il est soumis à la pensée philosophique qui crée l'œuvre, et demeure ainsi profondément symbolique. Tous ces petits traits, ces circonstances dessinent la chose et, avec la chose, le jugement de la « raison » sur la chose. Ils la déforment pour mettre dans son image la réaction de l'esprit de l'auteur ou le rapport à la thèse. Ces légers croquis sont des charges. La pitié même et l'indignation se traduisent en sarcasmes, en bouffonneries. L'art mondain de donner des ridicules est mis au service de la philosophie. Toutes les misères de l'homme et du monde sont traduites devant l'intelligence et apparaissent en sottises : sûre tactique pour révolter des esprits clairs contre les causes de la souffrance sociale. Les romans de Voltaire sont des démonstrations du progrès par l'absurde.

René Pomeau, *Europe*, juin 1959 :

Depuis longtemps on a remarqué l'analogie entre le conte voltairien et nos dessins animés [...]. Mais au siècle de Louis XV les marionnettes tenaient lieu de dessins animés. Le conte voltairien procède de ce théâtre en marge de la littérature. Le plus ancien conte, à savoir les *Voyages du baron de Gangan*, esquisse aujourd'hui perdue de *Micromégas*, fut inventé à Cirey en 1739. Dans celui-ci, comme dans ceux de 1747-1749 *(Zadig, Memnon, Babouc)*, les procédés du Guignol sont transposés : des personnages stylisés, à la gesticulation vive, burlesques avec gentillesse, sont maniés par un montreur de marionnettes dont la voix se reconnaît à travers les paroles qu'il leur prête : tous ont peu ou prou l'accent voltairien; il arrive même que le narrateur intervienne directement [...]. C'est une pétulance, un jaillissement de traits, dont le charme après deux siècles ne s'est pas affadi : fraîcheur d'esprit admirable, chez cet homme qui a commenté Newton, rédigé l'*Histoire universelle*, versifié des milliers d'alexandrins tragiques...

THÈMES DE RÉFLEXION

1. André Maurois écrit : « La qualité dominante de la prose voltairienne en ses jours de bonheur, est une poésie qui est faite de ce que la folie de l'univers y est exprimée par l'incohérence des rapprochements, mais soumise au rythme. Le meilleur de Voltaire a ce double caractère. »
Commentez cette définition de la poésie de Voltaire à l'aide des contes que vous connaissez.

2. « Presque tous les arguments contre Voltaire s'adressent, en somme, au trop d'esprit qu'il eut. Puisqu'il avait tant d'esprit, c'est donc qu'il était donc superficiel. Puisqu'il avait trop d'esprit, c'est donc qu'il manquait de cœur. Tels sont les jugements du monde » (Paul Valéry).
Partagez-vous ces « jugements du monde » ?

3. « C'est à la raillerie la plus amère que Voltaire demande sa revanche sur tout ce qui échappe à la prise de son intelligence, comme sur tout ce qui déçoit son espoir. »
Expliquez et commentez cette opinion d'André Bellessort.

4. « Un homme plus spirituel qu'intelligent, et beaucoup plus intelligent qu'artiste, c'est un Français [...]. Voltaire est léger, décisif et batailleur, c'est un Français [...]. Il est à peu près incapable de métaphysique et de poésie, c'est un Français » (Émile Faguet).
Cette charge contre Voltaire vous paraît-elle acceptable ?

5. Commenter, en l'appliquant aux contes de Voltaire, cette phrase d'André Malraux (*Antimémoires*, p. 17) : « L'homme n'atteint pas le fond de l'homme ; il ne trouve pas son image dans l'étendue des connaissances qu'il acquiert, il trouve une image de lui-même dans les questions qu'il pose [...]. Et il est possible que, dans le domaine du destin, l'homme vaille plus par l'approfondissement de ses questions que par ses réponses. »

6. En 1737, un critique écrivait dans le *Journal de Trévoux* : « Un Pope, en Angleterre, un Voltaire, en France, comme s'ils avaient une mission spéciale pour cela, et avec une espèce d'enthousiasme, ne cessent de nous prêcher en prose et en vers, qu'il n'y a pas de mal, que la nature est bien, que le système régnant est celui de la nature, qu'elle est telle qu'elle a dû être, qu'elle ne pouvait être autrement, que l'homme a commencé par là, que l'état d'innocence est une chimère, etc. »

Comparez les idées exprimées par Voltaire dans *le Mondain* avec celles qu'il exprime dans *Zadig*, *Babouc* et *Memnon*; puis, celles de ces trois contes avec la critique de l'optimisme que Voltaire fait dans *Candide*.

7. « Le déisme de Voltaire n'est pas purement critique; il est inspiré par le sentiment cosmique du divin. C'est au nom de l'Être céleste suprême qu'il raille la superstition — en fait, toutes les formes positives de la religion. »
Commentez ce jugement de M. René Pomeau.

8. Pour M. Antoine Adam, Voltaire « se distingue des *philosophes des Lumières*, par le sens qu'il a si fort de la grandeur. Ce que Voltaire reprochait à son temps, c'est d'être « mesquin », d'être « petit ». Par cet aspect de sa pensée, Voltaire n'est pas tout à fait de son temps ».
Quelles réflexions cette opinion vous inspire-t-elle?

9. « D'un Pascal peut encore jaillir un message et de Rousseau une révolte, [mais de Voltaire] viendront seulement d'exquises plaisanteries, voire d'adorables impertinences et d'élégants coups d'épingle » (Paolo Alatri).
L'œuvre de Voltaire vous semble-t-elle encore d'actualité?

TABLE DES MATIÈRES

Imprimerie Jean-Lamour, 54320 Maxéville
Dépôt légal : avril 1991 — Dépôt légal 1re édition : 1977
Imprimé en France.